Tutti insieme!

STUDENTS' BOOK

Libro dello studente

Lucia D'Angelo
Maria Del Vecchio
Danielle Rossi
Chris Turner

Danièle Bourdais
Sue Finnie
Anna Lise Gordon

OXFORD

UNIVERSITY PRESS

OXFORD
UNIVERSITY PRESS

253 Normanby Road, South Melbourne, Victoria 3205, Australia

Oxford University Press is a department of the University of Oxford.
It furthers the University's objective of excellence in research, scholarship,
and education by publishing worldwide in

Oxford New York

Auckland Cape Town Dar es Salaam Hong Kong Karachi
Kuala Lumpur Madrid Melbourne Mexico City Nairobi
New Delhi Shanghai Taipei Toronto

With offices in

Argentina Austria Brazil Chile Czech Republic France Greece
Guatemala Hungary Italy Japan Poland Portugal Singapore
South Korea Switzerland Thailand Turkey Ukraine Vietnam

OXFORD is a trade mark of Oxford University Press
in the UK and in certain other countries

© Lucia D'Angelo, Maria Del Vecchio, Danielle Rossi, Chris Turner 2003

First published 2003

Reprinted 2004 (twice), 2005, 2007

Written by Lucia D'Angelo, Maria Del Vecchio, Danielle Rossi and Chris Turner.
Adapted from Équipe livre de l'étudiant 1 by Danièle Bourdais, Sue Finnie and
Anna Lise Gordon, published by Oxford University Press 1998.

National Library of Australia

Cataloguing-in-Publication data:

Tutti insieme! Level 1.
For year 7-8 students

ISBN 9 78 019551594 7
ISBN 019 551594 3

1. Italian language – Textbooks for foreign speakers – English. 2. Italian language – Study and teaching
(Secondary) – English speakers. I. D'Angelo, Lucia, 1961 –.
458.2421N

Typeset by OUPANZS
Printed in China by Golden Cup Printing Co., Ltd

Acknowledgements

The publishers and authors would like to thank the following for permission to reproduce photographs; Archivio
fotografico A.P.T. del Milanese; Australian Picture Library – Corbis, pp.. 8 (Leonardo da Vinci's *The Last Supper*), 10
(Portrait of Leonardo da Vinci; Luciano Pavarotti), 11 (Michelangelo's David), 16 (People in costume at the Venice
carnevale; horses and jockeys at il Polio), 23 (Franca Fiacconi; Paolo Pezzo), 60, 94, 95, 104 & 125 (market); Basilicata
Bocce Club, Coburg, p.99; Museo del Pressepio, Dalmine (BG) p. 16; Ashlee House p. 63; Milan A.C. S.p.A. p.8.

Location photography by Gianluigi di Napoli. Additional photographs by Angelo Del Vecchio.

The publishers and authors would like to thank the following for their help and advice: Lorena Rossi, Fabio
Malgaretti, Igino Gori, Gianluca Winkler, Fiorella Donati, Germana Colombo, Giuseppe Rinaldi, Angela Dato, Walter
Musolino, Richard Allan, Antonella Bellutti, Comando Provinciale Carabinieri di Milano, Angelo Sorti, Luigi Giuni,
Laura Masi.

The publishers and authors would like to thank the following for permission to reproduce copyright material:
www.pizza.it – the leading online portal dedicated to Italy's most famous product p.85; www.inter.it p.95

Language consultant: Fabio Malgaretti

Editor: Chris Turner

Welcome to Tutti insieme!

Tutti insieme! is set in the Italian city of Milan. In it you'll meet . . .

Joelle Fiorelli

Luca del Prete

Elisa della Croce

Paolo Bertoldo

As you work through *Tutti insieme!*, you will . . .

- find out about life in Italy
- learn to understand Italian people when they speak
- start speaking Italian yourself
- learn how to read and write in Italian

Have fun!

MILANO

Symbols and headings you'll find in this book and what they mean . . .

listen to the CD with this activity

work with a partner   work in a group

Occhio su . . .

an explanation of how Italian works

000 refer to this page in the grammar section at the back of the book

In più

something extra to do if you finish early

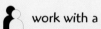
Espressioni chiave
useful expressions

Parole chiave
useful words

Lo sai . . . ?
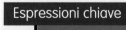

a checklist of the things you've learned in the unit

Intermezzo

a song or fun activity

Si dice così!

pronunciation practice

Guida pratica

ideas and tips to help you learn more effectively

Tutti insieme
project work

Attività tutti insieme

reading practice at the end of each unit

Indice del contenuto

6 Buon appetito!

7 In forma!

8 Un fine settimana a Milano

9 Buon viaggio!

Lista delle istruzioni

Here are some of the instructions you'll need to understand in *Tutti insieme!*

Adatta . . . .*Adapt . . .*

Apri il libro. ....*Open your book.*

Ascolta di nuovo. ....*Listen again.*

Ascolta il Cd per la verifica. ......*Listen to the CD to check.*

Ascolta. ....*Listen.*

Attenzione! ....*Watch out!*

Canta con il Cd. ....*Sing along with the CD.*

Cerca . . . .*Look for . . .*

Che . . .? ....*What . . .?*

Che cos'è? ....*What is it?*

Chi è? ....*Who is it?*

Chiudi il libro. ....*Close your book.*

Comincia . . . .*Start . . .*

Copia . . . .*Copy out . . .*

Completa . . . .*Complete . . .*

Dà . . . .*Give . . .*

Descrivi . . . .*Describe . . .*

Di' . . . .*Say . . .*

Disegna . . . .*Draw . . .*

Domanda . . . .*Ask . . .*

Fa delle domande. ....*Ask questions.*

Fa un elenco. ....*Make a list.*

Fa un sondaggio. ....*Carry out a survey.*

Gioca a . . . .*Play . . . (a game)*

Gioco di ruolo ....*Role play*

Guarda . . . .*Look at . . .*

Impara a memoria. ....*Learn by heart.*

Indovina . . . .*Guess . . .*

Inventa . . . .*Make up . . .*

Inventa delle conversazioni . . . . .*Make up conversations.*

Leggi . . . .*Read . . .*

Leggi di nuovo. ....*Read again.*

Parla . . . .*Speak . . .*

Prendi degli appunti. ....*Take notes.*

Quale . . .? ....*Which . . .?*

Ripeti. ....*Repeat.*

Rispondi alle domande. ....*Answer the questions.*

Scegli . . . .*Choose . . .*

Scrivi . . . .*Write . . .*

Segna con una crocetta. ....*Tick.*

Trova . . . .*Find . . .*

Unisci le frasi. ....*Match up the sentences.*

Verifica . . . .*Check . . .*

Vero o falso? ....*True or false?*

Useful classroom language

Could you say that again please?	Può ripetere per favore?
How do you pronounce . . .?	Come si pronuncia . . .?
How do you say . . . in Italian?	Come si dice . . . in italiano?
How do you write . . .?	Come si scrive . . .?
I don't understand.	Non capisco.
What activity is it?	Quale attività è?
What page is it on?	A che pagina è?

L'Italia

SVIZZERA

AUSTRIA

UNGHERIA

Valle d'Aosta

Trentino-Alto Adige

Trento

Friuli-Venezia Giulia

SLOVENIA

CROAZIA

Aosta

Lombardia

Veneto

Milano

Venezia

Trieste

Po

Torino

Piemonte

Emilia-Romagna

BOSNIA ERZEGOVINA

Genova

Bologna

Liguria

SAN MARINO

Arno

Firenze

Ancona

FRANCIA

Mar Ligure

Toscana

Marche

Mar Adriatico

Perugia

Umbria

L'Aquila

Abruzzo

Tevere

Roma

Molise

Lazio

Campobasso

Campania

Bari

Napoli

Puglia

Sardegna

Potenza

Basilicata

Mar Tirreno

Calabria

Mar Ionio

Cagliari

Reggio di Calabria

Palermo

Mar Mediterraneo

Sicilia

ALGERIA

TUNISIA

Benvenuti a
Tutti insieme!

Tutti insieme

La Madonnina
Duomo
Milano

Ciao!
Sono a Milano. È fantastica!
Visto tutto il centro della
città, incluso il Castello.
I cappuccini e le pizze
sono deliziosi!
A presto,
Rebecca

Cavallo di Leonardo
Ippodromo
Piazzale dello Sport, 16
Milano

Hi!
I'm in Milan. It's fantastic!
I'm visiting all the centre of
the city, including the
castle.
The cappuccini and pizzas
are delicious!
See you soon!
Simon

⊙Mini-test

1 **Che cos'è?**

a Una Alfa Romeo
b Una Ferrari

2 **Che cos'è?**

a Il Colosseo
b Il Ponte Vecchio

3 **Chi è?**

a Michelangelo
b Leonardo da Vinci

4 **Che cos'è?**

a Una Vespa
b Una gondola

5 **Chi è?**

a Andrea Bocelli
b Luciano Pavarotti

6 Che cosa è?

a Una pizza
b Una focaccia

7 Che cosa è?

a Un bar
b Una boutique

8 Che cosa è?

a Un cappuccino
b Un espresso

9 Che cosa è?

a La Torre di Pisa
b Il Vaticano

10 Chi è?

a Davide
b Roberto Benigni

1 L'arrivo di Joelle

You will learn how to . . .

✔ say hello and goodbye: *Ciao! Buongiorno! Arrivederci! Salve!*
✔ ask someone their name: *Come ti chiami?*
✔ say your name: *Mi chiamo Paolo.*
✔ spell in Italian

Sabato 2 settembre: Joelle arriva a Milano

Salve! Mi chiamo Elisa.

Buongiorno! Sono Luca.

Arrivederci e grazie, signorina!

Arrivederci, signore!

Ciao! Mi chiamo Paolo.

Elisa: Ciao!
Paolo: Buongiorno!
Luca: Salve! Come ti chiami?
Joelle: Ciao! Mi chiamo Joelle. E tu, come ti chiami?

1 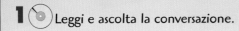 Leggi e ascolta la conversazione.

2 Ascolta. Chi è?

3 Ascolta e rispondi.

Salve! Mi chiamo Paolo. Tu, come ti chiami?

Salve Paolo. Mi chiamo Tim Holland.

4 Inventa delle conversazioni.

Esempio

Paolo: Buongiorno.

Anna: Buongiorno. Come ti chiami?

Paolo: Mi chiamo Paolo. E tu?

Anna: Mi chiamo Anna.

Paolo   Anna

Antonio   Francesca

Maria   Massimiliano

Isabella   Carlo

Elisa   Joelle

In più

Scrivi le conversazioni.

5 Copia e completa le frasi.

_i ch_a_o Benedetta Boccolo. _uongior_o!

Sal_e! M_ c_iamo Eugenio Finardo.

C_a_! Mi _hi_m_ Romeo. Miao!

Guida pratica

Impara l'alfabeto italiano

a b c d e f g h
i l m n o p
q r s t u v z

6a Ascolta e ripeti.

b Ascolta e scrivi i nomi.

Esempio 1 – Vincenzo

c Scegli cinque nomi dalla lista. Di' a voce alta ogni lettera di ogni nome.

Il Giro d'Italia: i più veloci

Gilberto Simoni

Unai Osa Eizaguirra

Mario Cipollini

Abraham Olano Manzano

Danilo Hondo

Stefano Zanini

Paolo Bossoni

Ivan Quaranta

Mauro Gerosa

Guido Trenti

Uno, due, tre . . . via!

You will learn how to . . .

✔ count to 20

1a  Ascolta.

b Ascolta e ripeti.

c Ascolta e continua.

Esempio *tre, quattro, cinque*

Quant' è?

1	uno
2	due
3	tre
4	quattro
5	cinque
6	sei
7	sette
8	otto
9	nove
10	dieci
11	undici
12	dodici
13	tredici
14	quattordici
15	quindici
16	sedici
17	diciassette
18	diciotto
19	diciannove
20	venti

sei e cinque = undici

2 In coppia: **A**, getta i dadi. **B**, segna con una crocetta.

3 Fa delle cartelle. Gioca a tombola.

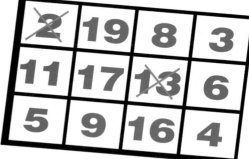

2̶	19	8	3
11	17	1̶3̶	6
5	9	16	4

4 Copia e completa.

a uno + due = ?
b cinque + tre = ?
c otto + quattro = ?
d dodici − undici = ?
e nove − sette = ?
f dieci − sei = ?

In più

Scrivi sei operazioni per il tuo compagno/la tua compagna di classe.

Dove abiti?

Joelle:	Dove abiti?
Luca:	Qui, abito in via Solari 16, a Milano.
Elisa:	E tu, Joelle, dove abiti?
Joelle:	Qui! Quest'anno abito a Milano con mia nonna.
Paolo:	Benvenuta a Milano, Joelle. A presto! Ciao!
Joelle:	Ciao! A presto!

1 Leggi e ascolta.

2a Ascolta e leggi di nuovo.

Esempio *Filippo – Roma*

Filippo	Venezia
Anna	Firenze
Daniele	Roma
Lucia	Cagliari
Marco	Palermo
Stefania	Napoli

Espressioni chiave

Dove abiti?

Abito a Milano.

Abito in via Solari 16.

A presto!

Ciao!

b Chi è? **A**, di' la città. **B**, di' il nome della persona.

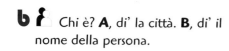

Abito a Palermo.

A

Sei Filippo.

B

No.

A

Tu sei Anna.

B

Sì!

A

Per tenerti **i**nformato

Paolo abita in via Solari a Milano.

Milano è in Italia. È una città molto importante nel nord dell'Italia.

Milano ha circa 1.360.000 abitanti.

Milano

Quanti anni hai?

You will learn how to . . .

- ✔ ask someone how old they are: *Quanti anni hai?*
- ✔ say how old you are: *Ho tredici anni.*
- ✔ ask when someone's birthday is: *Quand'è il tuo compleanno?*
- ✔ say when your birthday is: *Il mio compleanno è il dodici gennaio.*

Conta ancora . . .

21 ventuno
22 ventidue
23 ventitré
24 ventiquattro
25 venticinque
26 ventisei
27 ventisette
28 ventotto
29 ventinove
30 trenta
31 trentuno

1 Ascolta e ripeti.

2 Ascolta. Fa quattro liste: primavera, estate, autunno, inverno.

I mesi dell'anno

gennaio   febbraio   marzo

aprile   maggio   giugno

luglio   agosto   settembre

ottobre   novembre   dicembre

Domenica 10 settembre: Luca invita Joelle a casa sua.

Luca:	Quanti anni hai, Joelle?
Joelle:	Ho tredici anni. E tu?
Luca:	Anch'io ho tredici anni.
	***
Luca:	Quand'è il tuo compleanno?
Joelle:	Il mio compleanno è il dodici gennaio. E tu Luca?
Luca:	Io?
Joelle:	Sì, quand'è il tuo compleanno?
Luca:	Il mio compleanno è il dieci settembre.
Joelle:	Allora . . . è oggi! Buon compleanno e tanti auguri, Luca!

3a Leggi e ascolta.

b Fate i ruoli di Joelle e di Luca.

c Cambia il dialogo: usa la tua età e la tua data di nascita.

4 Indovina l'età delle sei persone. Ascolta il Cd per la verifica.

Occhio su ...

io, tu + il verbo

In italiano	In inglese
Quanti anni hai?	?
Ho tredici anni.	?
Dove abiti?	?
Abito a Milano.	?
Sei Paolo	?
Sono Luca.	?

148

Espressioni chiave

Quanti anni hai?	Quand'è il tuo compleanno?
Ho (tredici) anni.	
Anch'io.	Il mio compleanno è il (dieci settembre).
Sì, no	Buon compleanno!
E tu?	Tanti auguri!

Fratelli, sorelle e animali in casa

Questo sono io!   Ho una sorella, Isabella.   Ho un fratello, Adriano.

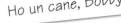

Ho un cane, Bobby.

 1 Leggi e ascolta Paolo.

Caro Robert,
mi chiamo Paolo Bertoldo e sono il tuo amico di penna. Ho dodici anni e abito a Milano. Ho un fratello, Adriano, e una sorella, Isabella. E tu? Hai dei fratelli o delle sorelle?
Io adoro gli animali: ho un cane e due gatti. Tu hai un animale in casa?
Ecco delle fotografie.

Ho due gatti, Mara e Mao.

Animali per tutti i gusti

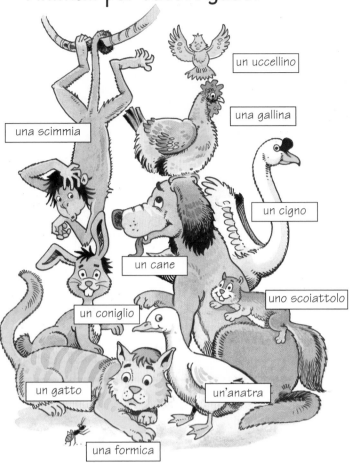

un uccellino

una gallina

una scimmia

un cigno

un cane

uno scoiattolo

un coniglio

un gatto

un'anatra

una formica

2a Ascolta le interviste. Quanti fratelli o sorelle ha ogni persona intervistata?

Esempio

	fratelli	sorelle
Miriam	1	0

Chi non ha fratelli?

b Ascolta di nuovo. Scrivi gli animali.

Esempio Tommaso – un coniglio
Chi non ha animali in casa?

c Un sondaggio. Intervista i tuoi compagni e/o le tue compagne di classe.

> Hai dei fratelli?
> Hai delle sorelle?
> Hai un animale in casa?

3 Leggi di nuovo la lettera a pagina 18. Scrivi una lettera con delle informazioni su di te.

Espressioni chiave

Hai dei fratelli o delle sorelle?

Hai un animale in casa?

Hai un fratello?

Hai una sorella?

Ho due fratelli.

Ho tre sorelle.

Non ho né fratelli né sorelle.

Non ho un animale in casa.

Ho un gatto.

Ho uno scoiattolo.

Ho una scimmia.

Ho un'anatra.

Occhio su...

il maschile e il femminile

4 Copia e completa.

In italiano		In inglese
Ho **un** gatto.	=	?
Ho **uno** scoiattolo.	=	?
Ho **una** scimmia.	=	?
Ho **un'**anatra.	=	?
un/uno/una/un'	=	?
un/uno = maschile	una/un' = femminile	

5 Metti le parole seguenti in due liste: maschile/femminile.

uno sport	un bar	una radio
un cinema	una rivista	un'antenna
una televisione	un Cd	un'amica
un hamburger	un'aranciata	un amico
una cassetta	un elefante	una scatola
uno zoo	un animale	
uno stile	un'automobile	

Esempio

maschile	femminile
uno sport	una radio

139

Hai un animale?

You will learn how to . . .

✔ pronounce the following sounds: *co, ca, cu, ci, ce*

A

Coro
Hai un animale?
Un animale? Un animale?
Hai un animale in casa?
1
Sì, ho un cane,
un cane, un cane, un cane.
Sì, ho un cane a casa mia!
Coro
2
Sì, ho un coniglio,
un coniglio, un coniglio, un coniglio.
Sì, ho un coniglio a casa mia!
Coro
3
Sì, ho un cigno,
un cigno, un cigno, un cigno.
Sì, ho un cigno a casa mia!
Coro
4
Sì, ho un uccellino,
un uccellino, un uccellino, un uccellino.
Sì, ho un uccellino a casa mia!
Coro
5
No, non ho un animale.
No, no, non ho un animale.
Ho solo un fratello a casa mia!

B

C

D

E

1 Ascolta la canzone.

2 Trova il disegno giusto per ogni verso.

Esempio 1 – e

3 Canta con il Cd.

4 Continua la canzone. Inventa dei versi.

Esempio Sì, ho un gatto/un'anatra/una formica/uno scoiattolo . . .

Si dice così!

I suoni **co, ca, cu, ci, ce**

5 Ascolta e ripeti.

Un cuoco canta
mentre cucina i ceci.

Guida pratica

Per imparare a memoria una frase, comincia alla fine . . .

1 i ceci

2 cucina i ceci

3 mentre cucina i ceci

4 canta mentre cucina i ceci

5 un cuoco canta mentre cucina i ceci

Intermezzo

Romeo il gatto matto

Lo sai . . . ?

✔	contare da uno a trentuno	uno, due, tre . . .
✔	salutare le persone	Ciao! Buongiorno! Arrivederci! Salve!
✔	dire/chiedere nome/indirizzo	Come ti chiami? Mi chiamo Joelle. E tu? Dove abiti? Abito in via Solari 16, a Milano.
✔	dire/chiedere età/compleanno	Quanti anni hai? Quand'è il tuo compleanno? Il mio compleanno è il dodici gennaio.
✔	parlare di fratelli/sorelle/animali	Hai dei fratelli o delle sorelle? Ho un fratello/due fratelli. Ho una sorella/due sorelle. Hai un animale in casa? Ho un cane/una gallina/un'anatra/uno scoiattolo. Non ho animali in casa.

E la grammatica?

✔	io, tu + verbo	io abito, tu abiti, io ho, tu hai
✔	un, uno, una, un'	un cane, uno scoiattolo, una gallina, un'anatra

Tutti insieme

Interviste flash!

Prepara una trasmissione radio.
Fa delle interviste flash!
Lavora con due o tre compagni e/o compagne di classe.

Ciao! Come ti chiami?

Mi chiamo Jennifer.

Quanti anni hai, Jennifer?

età:
compleanno:
abita:
fratelli o sorelle:
animali:

1 Scrivi le domande.

2 Prendi un registratore e un microfono.

3 Registra della musica per l'introduzione.

4 Sei un/una giornalista. Fa delle domande.
Registra l'intervista. (Un'idea: il tuo compagno/
la tua compagna di classe fa la parte di un
personaggio famoso.)

5 Tutta la classe ascolta la trasmissione.

Attività tutti insieme

Le stelle del mese

Ciao a tutti!
Sono Paola Pezzo e abito a Bosco Chiesanuova, una
piccola città nel nord dell'Italia. Il mio compleanno è
l'8 gennaio. Sono una campionessa di mountain bike
e ho vinto la medaglia d'oro alle Olimpiadi di Sydney
nel 2000.

Salve ragazzi!
Mi chiamo Franca Fiacconi e sono la prima donna
italiana a vincere la maratona di New York.

In Italia il numero degli animali in casa, dai cani ai
gatti fino a quelli più esotici, continua a crescere.
Le cifre più recenti parlano di 6 milioni di cani,
7 milioni di gatti, 13 milioni di uccelli e 28 milioni
di pesci!

Il mare a Milano – L'Idroscalo

Orario d'inverno (dal 1 novembre al 31
maggio): dalle 8.00 alle 16.30
Orario d'estate (dal 1 giugno al 30
settembre): dalle 7.30 alle 21.30
Chiuso: dal 1 ottobre al 31 ottobre e
dal 24 dicembre al 6 gennaio

Cosa hai nello zaino?

You will learn how to . . .

✔ ask someone what they've got in their backpack or pencil case: *Cosa hai nello zaino? Che cosa hai nell'astuccio?*

✔ ask if you can borrow something: *Hai la matita blu? Sì, ecco la matita blu. No, ma ho la penna blu.*

✔ say what you have: *Ho la penna, la riga e la matita.*

✔ say what you don't have: *No, mi dispiace, non ho una gomma.*

Il rientro a scuola!

Domenica, ore 4 e 30

1 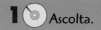 Ascolta.

> Sì, ho tutto pronto. Nel mio astuccio ho le matite colorate, la gomma, la riga, il temperamatite, la penna e otto pennarelli.

> Hai tutto pronto per il rientro a scuola? Che cosa hai nell'astuccio?

Lunedì, ore 8 e 30

> Cosa hai nello zaino?

> Ho tre libri, cinque quaderni, la cartella, l'astuccio, il dizionario, l'agenda, le scarpe da tennis e la tuta. E ho anche un pallone!

Si dice così!

L'acca (*h*) italiana

2 Ascolta e ripeti.

Ho un amico che ha un hobby: mangia hot dog in un hotel. Hai un hobby anche tu?

3 Ascolta. Che lettera è?

Esempio 1 – b

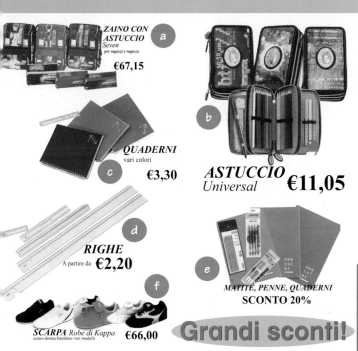

Il rientro a scuola

ZAINO CON ASTUCCIO Seven
per ragazzi e ragazze
€67,15 — a

QUADERNI
vari colori
€3,30 — c

ASTUCCIO
Universal **€11,05** — b

RIGHE
A partire da **€2,20** — d

MATITE, PENNE, QUADERNI
SCONTO 20% — e

SCARPA Robe di Kappa
uomo-donna-bambino vari modelli **€66,00** — f

Grandi sconti!

In più

👥 *Il gioco di memoria.*

Che cosa hai nello zaino?
A

Nel mio zaino ho la penna. E tu, cosa hai nello zaino?
B

Nel mio zaino ho la penna e il libro d'italiano. Tu, che cosa hai nel tuo zaino?
C

4 🧍 Prendi in prestito cinque oggetti dal tuo compagno/dalla tua compagna di classe.

Hai lo stick di colla?
A

Sì, ecco lo stick di colla.
B

Hai la matita blu?
B

No, mi dispiace. Ma ho la penna blu.
A

5 Continua la lista per Elisa e scrivi una lista per Luca.

Esempio Elisa: Nel mio zaino ho le matite, il libro ...

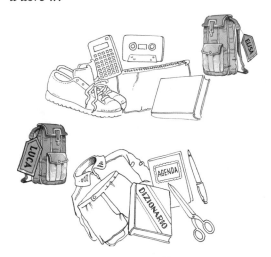

Espressioni chiave

Hai tutto pronto per il rientro a scuola?
Sì, ho tutto pronto.
Hai la matita blu?
Sì, ecco la matita blu. No, mi dispiace. Ma ho la penna blu.
Che cosa hai nello zaino/nell'astuccio?
Nel mio zaino/Nel mio astuccio . . .

ho il { libro / quaderno / dizionario
ho l' astuccio
ho lo stick di colla
ho la { cartella / cassetta / matita / gomma / calcolatrice / riga / tuta
ho l' agenda
ho le { scarpe da tennis / forbici / penne
ho i { pennarelli / quaderni
ho gli { astucci / zaini

Non ho il quaderno/la calcolatrice/le scarpe da tennis.
Non ho lo stick di colla/la riga.
Mi dispiace, non ho i pennarelli/le forbici.

139

È fantastico!

2

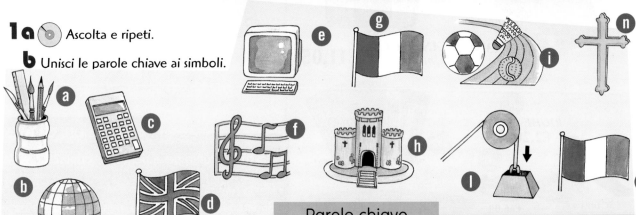

You will learn how to . . .

✔ ask which subjects someone likes: *Ti piace matematica?*
✔ say which subjects you like and dislike: *Mi piace matematica.*
   Non mi piace storia. Adoro arte.
✔ say which subjects someone else likes/dislikes: *A Elisa piace informatica.*
   Gli piace educazione fisica. Non le piace storia.
✔ give your opinion about subjects: *Italiano è fantastico. Inglese è faticoso.*

1a Ascolta e ripeti.

b Unisci le parole chiave ai simboli.

2 Ascolta. Copia e completa la tabella.

	😃	☹️
E	e	a, i
P		
L		
J		

3 Ascolta degli studenti della Scuola media
"L. da Vinci" di Milano. Dividi gli aggettivi in due liste.

Opinioni positive	Opinioni negative

fantastica	noiosa	divertente
difficile	non divertente	forte
interessante	faticosa	

Parole chiave

italiano	arte	musica
inglese	matematica	geografia
francese	religione	scienze
storia	educazione fisica	informatica

4 Scegli tre materie. Al tuo compagno/Alla tua compagna di classe piacciono queste materie?

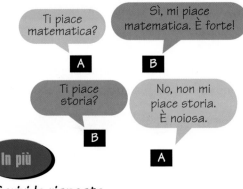

Ti piace matematica?

Sì, mi piace matematica. È forte!

A

B

Ti piace storia?

No, non mi piace storia. È noiosa.

B

In più

A

Scrivi le risposte.

Esempio *Al mio compagno/Alla mia compagna di classe piace matematica. Non gli/le piace storia.*

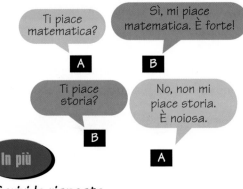

Occhio su...

il verbo *piacere*

> **Attenzione!**
> A Gianluigi **piace** matematica.
> A Elisabetta **piacciono** inglese e storia.

5 A pagina 151 trova la forma corretta del verbo *piacere*.

a Mi _____ italiano e inglese.
b Ti _____ matematica e inglese?
c A Elisa _____ informatica.
d A Vincenzo _____ storia e geografia.
e Gli _____ religione.

6  Ascolta e ripeti.

7 Copia e completa con la forma corretta del verbo *piacere*.

a Ti _____ italiano? Sì mi _____.
b A Elisa _____ inglese? No, non le _____.
c A Paolo _____ informatica? Sì, gli _____.
d Ti _____ musica e matematica? Sì, mi _____.
e A Roberta _____ educazione fisica e francese? No, non le _____.

> Ti **piace** il quaderno. / Ti **piacciono** i quaderni.
> Mi **piace** la penna. / Mi **piacciono** le penne.
> Gli/Le **piace** lo zaino. / Gli/Le **piacciono** gli zaini.

150 →

Parole chiave

lunedì	giovedì	sabato
martedì	venerdì	domenica
mercoledì		

La scuola è fantastica!

Coro
Che cos'hai il lunedì?
Il martedì, il mercoledì?
Non mi piace il venerdì,
Ma la scuola è fantastica!

1
Mi piace il lunedì,
Ho arte e informatica.
Storia è interessante,
Ma arte è fantastica!

Coro

2
A Chiara piace il martedì,
Ha ginnastica e matematica.
Le piace scienze,
Ma matematica è fantastica!

Coro

3
A Fabio piace il mercoledì,
Ha italiano e inglese,
Gli piace anche francese.
Oh, le lingue sono fantastiche!

Coro

4
A Paola piace il giovedì,
Ha scienze e musica,
Le piace religione.
Ma musica è fantastica!

Coro

5
A Sergio piace il sabato,
E adora la domenica.
Gli piace tanto il week-end . . .
Ma la scuola è fantastica!

Coro

In più

Scrivi una strofa per venerdì.

Per tenerti Informato

La scuola in Italia
In Italia, dopo cinque anni di scuola elementare i ragazzi frequentano la scuola media per tre anni e poi frequentano una scuola superiore per cinque anni. Gli studenti possono scegliere fra diversi tipi di scuole superiori, per esempio: il Liceo Classico, il Liceo Scientifico, il Liceo Linguistico e l'Istituto Tecnico.

Si dice così!

Il suono **gli**

8 Come si pronuncia? Ascolta per la verifica.

a Voglio poco aglio negli spaghetti.
b La famiglia Origlia ha la mamma, il papà e il figlio Guglielmo.
c Mi piace la maglia di mia figlia.
d Federica taglia il foglio di carta nella forma di una foglia.
e Anna compra un coniglio per il figlio.
f È meglio andare al mare a luglio.

Il mio orario di classe

You will learn how to . . .

✓ say when you and other people have particular subjects: *Il martedì alle tre ho musica. Elisa ha geografia il giovedì alle due.*

✓ ask what subjects someone has on what day and at what time: *Che materia hai il lunedì alle nove?*

1 Scrivi delle frasi con i nomi e le materie.

Esempio *Joelle Fiorelli ha francese il lunedì alle dodici.*

Joelle Fiorelli — FRANCESE — lunedì, ore 12.00
Elisa della Croce — GEOGRAFIA — giovedì, ore 2.00
Luca del Prete — STORIA — lunedì, ore 4.00
Paolo Bertoldo — ITALIANO — venerdì, ore 11.00
Nicoletta Fanti — MATEMATICA — mercoledì, ore 10.00
Riccardo Cento — SCIENZE — martedì, ore 8.00

2 Unisci le nuvolette ai disegni.

a Alle dieci ho la musica.

b Alle quattro ho italiano.

c Alle nove ho inglese.

d Alle tre ho geografia.

e Alle undici ho francese.

f Alle due ho educazione fisica.

3a Copia la tabella. Ascolta e completa.

Materia	Giorno	Ore
informatica	giovedì	10

b Controlla con l'orario di classe a pagina 29.

L'orario di classe

giorni / ore	lunedì	martedì	mercoledì	giovedì	venerdì
Alle 8	matematica	inglese	musica	francese	italiano
Alle 9	matematica	musica	italiano	informatica	geografia
Alle 10	italiano	italiano	italiano	informatica	informatica
Alle 11	inglese	storia	geografia	italiano	religione
Alle 12	francese	scienze	scienze	italiano	matematica
Alle 2	ed. fis.			italiano	
Alle 3	arte			storia	
Alle 4	arte			inglese	
				ed. fis.	

4 Guarda i disegni e l'orario di classe.
Che giorno è?

Italiano-Inglese

Quaderno di francese

ed. fis. = educazione fisica

In più

Nel mio zaino ho otto pennarelli, una calcolatrice e un dizionario.
A

È martedì.
B

5 Ascolta Luca. Vero o falso?
Esempio 1 – falso

6a Ascolta. Copia e completa.
Esempio Il martedì alle due ho . . .

b Ascolta per la verifica.

7 Guarda l'orario di classe. Fa delle domande.

Che materia hai il lunedì alle dieci?
A

Ho italiano.
B

Tutti insieme in aula

You will learn how to . . .

✔ use Italian in the classroom: *Come si dice "pennarello" in inglese? Non capisco.*
✔ use Italian for pairwork and groupwork: *Comincio? Tocca a te.*
✔ understand classroom language: *Sedetevi. Scrivete sui vostri quaderni.*

Guida pratica

Usa scusi o mi scusi quando parli con i professori e scusa o scusami quando parli con un compagno/una compagna di classe.

1a Unisci le foto alle nuvolette.

b Ascolta e ripeti.

Mi scusi. Sono in ritardo.
a

Non capisco.
b

Come si dice "pennarello" in inglese?
c

La capitale della Russia? Non lo so.
d

Non mi piacciono i compiti, ma ho finito!
e

Ho un problema. Non ho le scarpe da tennis.
f

Oh no! Ho perso la mia cassetta.
g

lunedì, le 2 e 10

mercoledì, le 12 e 5

sabato, le 9 e 20

giovedì, le 10 e 10

domenica, le 2

martedì, le 8 e 15

venerdì, le 9 e 25

2 Guarda a pagina 30. Che materia c'è?

Esempio *Lunedì c'è educazione fisica.*

> **Attenzione!**
> **C'è?** (*ci* + *è*) = Is there?
> **C'è** (*ci* + *è*) = There is.

150

3a Unisci le nuvolette. Ascolta il Cd per la verifica.

Esempio *1 – e*

Non ho un dizionario. 1	Sì, tocca a me. a
A che pagina è? 2	E io sono "B". b
Comincio? 3	È a pagina 31. c
Io sono "A". 4	Sì, ho finito. d
Hai finito? 5	Ecco il mio dizionario. e
Come si scrive "piacere"? 6	Sì, comincia. f
Tocca a te? 7	Non lo so. Controlla sul dizionario. g

3b Ascolta di nuovo. Ripeti.

4 Guarda questa pagina e scrivi una lista di espressioni chiave. Incolla la lista nel tuo quaderno.

5 Ascolta il Cd. Segui le istruzioni.

Espressioni chiave

Sedetevi.

Alzatevi

Scrivete sui vostri quaderni.

Mi scusi. Sono in ritardo.

Come si dice . . . in inglese/italiano?

Come si scrive . . . ?

Non lo so.

Non capisco.

Ho un problema.

Ho perso . . .

Ecco . . .

Non ho un compagno/una compagna, le scarpe da tennis, il quaderno d'italiano . . .

Ho finito!

Scusi/Scusa, non ho capito.

A che pagina è?

Tocca a me/a te.

Comincio io?

Occhio su...

non

Non ascolto.
Non telefono.
Non le piace il disegno.
Non è Garfield!
Non mi piace matematica.
Non ho un dizionario.
Non parlo francese.

6 Di' il contrario!

Mi piace italiano. **A**

Non mi piace italiano. **B**

Ascolto il professore. **B**

Non ascolto il professore. **A**

Il gioco della scuola

Intermezzo **2**

Gioca in italiano
Hai un dado? Getta il
dado! Non sai la risposta?
Perdi un giro.

Domande

Che materia è? è . . .

Che cosa hai? *Ho . . .*

Hai un problema? *Sì, non ho . . .*

Ti piace . . . ? *No, non/Sì, mi piace . .*

Romeo il gatto matto

Lo sai . . . ?

✔ parlare delle cose che servono a scuola

Che cosa hai nel tuo zaino/nel tuo astuccio? Nel mio zaino/nel mio astuccio ho la penna, la gomma e le scarpe da tennis. Non ho la matita/i pennarelli. Hai il dizionario? Hai le forbici? Sì, ecco le forbici. No, mi dispiace.

✔ parlare dell'orario di classe

Che cosa hai il martedì alle undici? Il lunedì alle quattro, ho francese/matematica/scienze.

✔ esprimere delle opinioni

Ti piace informatica? Mi piace italiano. Non mi piace matematica. È forte. È noiosa.

✔ parlare in italiano in classe

Come si dice "homework" in italiano? Non capisco. Ho finito!

E la grammatica?

✔ il verbo avere

Io ho, tu hai, lui/lei ha

✔ il verbo piacere

Mi piace, ti piace, gli/le piace, mi piacciono, ti piacciono, gli/le piacciono

✔ non

Non parlo francese. Non mi piace musica. Non è Garfield.

✔ il, l', lo, la, i, gli, le

il libro, l'astuccio, lo stick di colla, la matita, i pennarelli, gli astucci, le scarpe da tennis

Tutti insieme

Prepariamo delle informazioni sulla scuola per i nostri amici di penna in Australia?

Sì!

Buon'idea!

Fantastico!

In gruppi, preparate delle informazioni sulla scuola.

1 Inventate un alfabeto scolastico (usate un dizionario). Disegnate un poster.

Esempio

> **A** come alfabeto. L'alfabeto italiano ha ventuno lettere.
>
> **B** come buongiorno. Buongiorno professoressa!
>
> **C** come compito.

2 Copiate il vostro orario di classe in italiano.

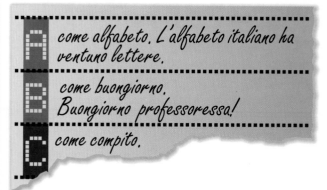

3 Preparate dei graffiti.

Non mi piace la scuola!

Italiano è forte!

4 Alla vostra classe piace italiano? Fate un sondaggio.

Ti piace italiano?

forte   noioso

5 Preparate una cassetta sulla scuola. Parlate per un minuto, se è possibile.

La mia scuola si chiama Port Richmond High School. La mia materia preferita è . . . mi piace . . . non mi piace . . .

Attività tutti insieme

Benvenuti alla Scuola Media "L. da Vinci" di Milano.

— VALUTAZIONE SUL LIVELLO GLOBALE DI MATURAZIONE:

III TRIMESTRE (2)

Antonio partecipa alle attività nella classe d'italiano con entusiasmo e attenzione. Lui trova storia interessante e divertente. matematica non piace ad Antonio perché è una materia difficile per lui. Il suo comportamento è corretto.

IL PRESIDENTE DEL CONSIGLIO DI CLASSE (1)   Firma di uno dei genitori o di chi ne fa le veci

Isabella Bevilacqua   (per presa conoscenza) *Fiorella Angelico*

(1) Capo di istituto o docente da lui delegato ai sensi dell'art. 5 del D.Lgs. 16/4/1994, n. 297.
(2) La valutazione di fine anno deve terminare con il giudizio di ammissione o non ammissione alla classe successiva o all'esame di licenza media.

(F.Z.S. - S.p.l. ROMA 1997 (601602H - c. 2.500.000)

— GIUDIZI PER DISCIPLINA:

I TRIMESTRE	II TRIMESTRE	III TRIMESTRE
ITALIANO: comprensione della lingua orale e scritta; produzione nella lingua orale e scritta; conoscenza delle funzioni e della struttura della lingua, anche nei suoi aspetti storico-evolutivi; conoscenza ed organizzazione dei contenuti.		
(*): *Non sufficiente*	(*): *Sufficiente*	(*): *Buono*
STORIA, EDUCAZIONE CIVICA: conoscenza degli eventi storici; capacità di stabilire relazioni tra fatti storici; comprensione dei fondamenti e delle istituzioni della vita sociale, civile e politica; comprensione e uso dei linguaggi e degli strumenti specifici.		
(*): *Buono*	(*): *Buono*	(*): *Distinto*
GEOGRAFIA: conoscenza dell'ambiente fisico e umano, anche attraverso l'osservazione; uso degli strumenti propri della disciplina; comprensione delle relazioni tra situazioni ambientali, culturali, socio-politiche ed economiche; comprensione e uso del linguaggio specifico.		
(*): *Distinto*	(*): *Ottimo*	(*): *Ottimo*
LINGUA STRANIERA *Inglese*: produzione nella lingua orale e scritta; conoscenza e uso delle strutture e funzioni linguistiche; conoscenza della cultura e della civiltà. comprensione della lingua orale e scritta;		
(*): *Buono*	(*): *Distinto*	(*): *Buono*
SCIENZE MATEMATICHE: conoscenza degli elementi specifici della disciplina; osservazione di fatti, individuazione e applicazione di relazioni, proprietà, procedimenti; identificazione e comprensione di problemi, formulazione di ipotesi e di soluzioni e loro verifica; comprensione e uso dei linguaggi specifici.		
(*): *Non sufficiente*	(*): *Sufficiente*	(*): *Sufficiente*
SCIENZE CHIMICHE, FISICHE E NATURALI: conoscenza degli elementi propri delle discipline; osservazione di fatti e fenomeni, anche con l'uso degli strumenti; formulazione di ipotesi e loro verifica, anche sperimentale; comprensione e uso dei linguaggi specifici.		
(*): *Buono*	(*): *Distinto*	(*): *Distinto*

MINISTERO DELLA PUBBLICA ISTRUZIONE

SCUOLA MEDIA *Leonardo da Vinci*

ANNO SCOLASTICO *2002/2003*

DIPLOMA DI LICENZA
DELLA SCUOLA MEDIA

conferito a *Antonio Angelico*

nato a *Milano* (prov. di *Milano*)

il giorno *9 novembre* 19 *89*

Milano , *27 giugno 2003*

IL PRESIDENTE
DELLA COMMISSIONE ESAMINATRICE

Moreno Verrucci

№ 0000   * 2003

I passatempi

You will learn how to . . .

✔ say which hobbies you like and dislike: *Mi piace il computer.
Amo il calcio. Mi piace molto! Non mi piace il nuoto.
Odio lo sport. Non mi piace affatto!*

✔ ask about someone's likes and dislikes: *Ti piace la lettura?
Gli/Le piace la musica?*

Mi piace!

1 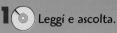 Leggi e ascolta.

Mi piace il tennis. Ti piace lo sport, Luca?

Sì, mi piace! Mi piacciono lo skateboard, il calcio e mi piace molto il ciclismo.

Ti piace la musica?

Sì, molto! Mi piacciono anche la televisione e il cinema.

Elisa:	Mi piacciono i videogiochi. Ti piacciono?
Joelle:	No, non mi piacciono. Ti piace lo sport? Mi piacciono l'equitazione e il nuoto e amo le corse campestri.
Elisa:	No, odio lo sport, ma mi piace la danza.
Joelle:	Non mi piace affatto! Ti piacciono il disegno o la lettura? Mi piacciono molto.
Elisa:	Non mi piace la lettura. È noiosa! Ti piacciono gli animali?
Joelle:	Sì, mi piacciono gli animali! Ma . . . non mi piacciono i gatti.

Guida pratica

Così è più facile!

2 Metti i passatempi alla pagina 36 nel gruppo giusto.

il	la	l'	lo	gli	i	le
tennis			sport			

3 Scrivi tre passatempi in segreto. Indovina i passatempi del tuo compagno/della tua compagna di classe.

> Ti piace la lettura?
> **A**

> Sì, mi piace molto.
> **B**

> Ti piace la danza?
> **A**

> No, non mi piace affatto!
> **B**

4a Copia la tabella. Ascolta e completa.

Marco	a, g
Pino	
Melissa	
Carla	
Gianni	

4b Cerca un amico o un'amica per Paolo, Joelle, Luca e Elisa.
Esempio Paolo – Melissa

c Cerca un amico o un'amica per te e per il tuo compagno/la tua compagna di classe.
Esempio La mia amica, Tracy – Gianni

Espressioni chiave

Mi piace	{ il nuoto / il ciclismo / il disegno
Amo	{ il computer / il calcio / il cinema / le corse campestri
Non mi piace	lo skateboard / lo sport
Odio	l'equitazione
Ti/Gli/Le piace . . . ?	{ la lettura / la musica / la danza / la televisione
Ti piacciono . . . ?	i videogiochi
Mi piacciono	gli animali / le foto

Mi piace molto!
Non mi piace affatto!

 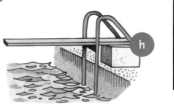

In più

 Ascolta di nuovo. Cosa non piace ai cinque giovani?
Esempio Marco – c

3

Le opinioni

You will learn how to . . .

✓ say what your favourite hobby is: *Il mio passatempo preferito è il calcio.*
✓ ask about someone's favourite hobby: *Qual è il tuo passatempo preferito?*
✓ give your opinion about hobbies: *La lettura è interessante! Il calcio è divertente/noioso/favoloso/eccezionale!*

CORRISPONDENTE MONDIALE

6307. Ho 12 anni e vorrei corrispondere con una ragazza o un ragazzo in Australia, in Africa o in Europa. Mi piacciono la natura e le scienze. Mi piace la lettura, è interessante. A presto.
Tommaso (Milano)

6308. Ho 14 anni. Cerco dei corrispondenti. Mi piacciono gli animali e la musica pop. Scrivetemi!
Elena (Torino)

6309. Mi piacciono il teatro e la musica. Amo i film e le discoteche. Non mi piace la scuola. Non è divertente! Parlo inglese, spagnolo e italiano.
Carlos (Spagna)

6310. Ho 13 anni. Il mio passatempo preferito è lo sport (soprattutto il calcio e l'atletica). Mi piacciono la musica (suono la chitarra) e la lettura (soprattutto i fumetti come Asterix).
Lucia (Svizzera)

6311. Ho 14 anni. Vorrei corrispondere con qualcuno che parla inglese. Mi piacciono i viaggi, l'equitazione, la pesca e la lettura. Il mio film preferito è *Il signore degli anelli*. Non mi piace la televisione e odio il razzismo.
Eduardo (Sardegna)

Guida pratica

Un brano lungo? Non ti preoccupare!

1 Qualche volta l'italiano è come l'inglese! Leggi l'articolo "Corrispondente mondiale" e continua la lista.

corrispondere
Australia
Africa
Europa
natura
scienze

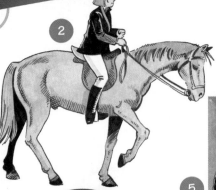

2 Per ogni messaggio, trova il disegno giusto.

3 Chi è il/la corrispondente più adatto/adatta per te? Perché?

4 🔘 Ascolta Cristina e prendi degli appunti. Scegli un/una corrispondente per Cristina.

In più

Scrivi un messaggio per "Corrispondente mondiale" per trovare un/una corrispondente.

Qual è il tuo passatempo preferito?

Il mio passatempo preferito è lo sport. È fantastico!

Paolo

I videogiochi sono il mio passatempo preferito. Sono divertenti!

Luca

Elisa

Il mio passatempo preferito è la musica! È fantastica!

Joelle

Non ho un passatempo preferito. Mi piace il tennis. È favoloso. Mi piace anche . . .

5 Completa la nuvoletta di Joelle. Ascolta il Cd per la verifica.

6a E tu? Qual è il tuo passatempo preferito?

b sondaggio tra dieci dei tuoi amici. Scrivi i risultati.

intervista – passatempi preferiti

Diversi punti di vista

7

Qual è il passatempo nella foto numero cinque?

A

La lettura.

B

Ti piace?

A

Sì, mi piace. È interessante.

B

Espressioni chiave

Qual è il tuo passatempo preferito?
Il mio passatempo preferito è lo sport.

È fantastico(a)/interessante/ favoloso(a)/eccezionale.

Non è divertente. È noioso(a).

I videogiochi sono il mio passatempo preferito.

In città

You will learn how to . . .

✔ say where you are going: *Vado al cinema. Vado in piscina. Vado all'agenzia di viaggi. Vado in città.*

✔ ask where someone is going: *Dove vai il week-end, Marco? Dove va Paolo il week-end?*

Milano per i giovani

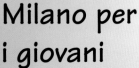

Parole chiave

il bar	la piscina
il cinema	lo stadio
il parco	la gelateria
il centro per i giovani	la città
il lago	la biblioteca
l'agenzia di viaggi	

1a Ascolta Paolo e Joelle. Scegli la foto giusta.

Esempio 1 – i

b Milano è interessante o noiosa per i giovani?

c Cosa ti piace?

Esempio Mi piace la piscina.

la preposizione *a*

il	la	lo	l'

2 Metti le parole nella colonna giusta.

cinema città stadio

biblioteca agenzia di viaggi

piscina parco

gelateria lago

bar centro per i giovani

Al/alla/all'/allo = ? in inglese
Al/alla/all'/allo: qual è la differenza?
(Verifica alla pagina 144.)

3 Scrivi una frase per ogni foto alla
pagina 40.
Esempio A – *Vado in piscina.*

Vado in piscina e
al centro per i giovani.

Vado in biblioteca
e al lago.

Vado al parco
e al bar.

Vado al cinema.

*a + il = **al*** Vado **al** cinema.
*a + la = **alla*** Vado **alla** gelateria.
*a + l' = **all'*** Vado **all'**agenzia di viaggi.
*a + lo = **allo*** Vado **allo** stadio.

Eccezione: *andare + in*
Vado **in** città. Vado **in** centro.
Vado **in** banca. Vado **in** ufficio.
Vado **in** farmacia. Vado **in** chiesa.
Vado **in** pizzeria. Vado **in** piscina.

Eccezione: *andare + a*
Vado **a** scuola. Vado **a** teatro.
Vado **a** casa.

143, 144

4 Continua questa poesia.
Dove vai, Cristina?
Vado in piscina.
Dove vai, Marco?
Vado al parco.

Lucia farmacia

Nicola scuola

Bianca banca

Teresa chiesa

Dario stadio

5 Ascolta e completa ogni frase.
Ascolta il Cd per la verifica.

Mi piace
il nuoto. Vado . . .

A

. . . in piscina.

B

Mi piace
il calcio. Vado . . .

A

. . . allo stadio.

B

3 Al centro per i giovani

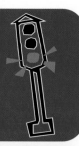

You will learn how to . . .

✔ say what you do: *Gioco a ping-pong. Incontro gli amici.*
✔ say what someone else does: *Lui/Lei fa i compiti.*
✔ ask about someone's activities: *Cosa fai questo week-end/al centro? Cosa fa Marco questo week-end?*

Al centro per i giovani.

Mario: Gioco a ping-pong e guardo i video.

Vanessa: Al centro, parlo con gli amici, ballo e gioco a carte.

Silvano: Faccio judo, ascolto la musica e mi piace navigare in Internet.

Nadia: Al centro, incontro gli amici e gioco a calcetto.

1 Ascolta i giovani.

2  **A**, identifica chi è.

B, fa delle domande per indovinare la persona.
A, rispondi alle domande con sì o no.

Giochi a calcetto?
B

No.
A

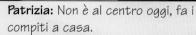

Patrizia: Non è al centro oggi, fa i compiti a casa.

Giochi a ping-pong?
B

Sì.
A

Sei Mario?
B

> **Attenzione!**
>
> *Giocare* + *a* + il nome dello sport
> **Esempio**   Gioco a tennis.
>   Gioco a carte.
>   Gioco a calcio.

3  Scrivi una frase per ogni attività al centro.
Ascolta il Cd per la verifica.
Esempio 1 – *Guardo i video.*

4 Ascolta e completa la carta d'identità per
Damiano, Anna e Riccardo. Scegli un amico o
un'amica per Mario (pagina 42).

Centro per i giovani
Via Lombardi 15, Milano

FOTO

Carta d'identità
Cognome: _____
Nome: _____
Età: _____
Passatempi: _____
_____

Cosa fai il week-end?

5 Fa un'intervista al tuo compagno/alla tua
compagna di classe e completa una carta d'identità.

Scegli un amico o un'amica per Mario (pagina 42).

Si dice così!

6 Ascolta e ripeti.

Sa chi sa se sa chi sa,
che se sa non sa se sa.
Solo chi sa che nulla sa,
ne sa più di chi ne sa.

Espressioni chiave

Cosa fai il week-end/al centro?
Gioco a carte.
Ballo.
Guardo i video.
Incontro gli amici.
Gioco a ping-pong/a calcetto.
Ascolto la musica.
Navigo in Internet.
Parlo con gli amici.
Faccio judo.
Faccio i compiti.

Il week-end è favoloso!

1

Dove vai il week-end, Marco?
Vado al bar con Anna,
Incontro anche Laura e Antonio.
Mi piacciono la musica e il calcio.
Mi piacciono anche i videogiochi.

Coro

Il week-end è favoloso!
Il week-end è fantastico!
Il week-end è divertente!
Il week-end mi piace molto!

2

Dove vai il week-end, Claudia?
Mi piace andare al cinema,
Incontro Laura e Maria.
Mi piacciono i film di fantascienza,
Ma preferisco i film d'azione.

Coro
3

Dove vai il week-end, Clara?
Io vado al centro sportivo,
Incontro Michele e Donato,
Mi piace molto il nuoto,
Ma il calcio è faticoso!

Coro

1 Leggi e ascolta la canzone. Guarda i disegni. Chi è?
Esempio *a – Clara*

2 **B**, chiudi il libro. Chi dice così?

> Vado al centro sportivo.

A

> È Marco.

B

3 Ora tocca a te! Cosa fai il week-end? Scrivi dei versi per la canzone.

Per tenerti **I**nformato

Navigare in Internet

Una recente indagine indica che in Italia un ragazzo su tre ha il computer a casa. Indica anche che il passatempo preferito del 66% dei ragazzi italiani fra gli 11 e i 14 anni è "chattare" su Internet.

Romeo il gatto matto

Intermezzo

Lo sai . . . ?

✔ parlare dei passatempi	Ti piace l'equitazione? Qual è il tuo passatempo preferito?
	Mi piace la lettura. Mi piace molto! Non mi piace il ballo.
	Non mi piace affatto!
	Il mio passatempo preferito è il calcio.
	Dove vai Marco? Vado al cinema e allo stadio.
	Cosa fai il week-end? Gioco a carte, faccio judo e incontro gli amici.
	Cosa fa Marco?
	Marco fa i compiti, studia, gioca a tennis . . .
✔ dare opinioni	La televisione è divertente. Il ciclismo è noioso. La lettura è favolosa.

E la grammatica?

✔ al, alla, all', allo	al parco, alla biblioteca, all'agenzia di viaggi, allo stadio
✔ i verbi con io, tu, lui/lei	io parlo, tu parli, lui/lei parla con gli amici
	io faccio, tu fai, lui/lei fa il judo
	io vado, tu vai, lui/lei va al parco
✔ in	in città, in piscina
✔ giocare + a	gioco a calcetto

Con un compagno/una compagna di classe, create un nuovo centro ricreativo.

1 Disegna un poster per il tuo centro.

Nome?   Indirizzo?   Telefono?   Attività?
Orario d'apertura?   Slogan?   Prezzo di ingresso?

2 Scrivi una lista di cinque attività per il tuo centro.

lunedì

ore 18 e 30: ceramica

ore 20: discoteca

3 Con l'aiuto di un computer disegna un modulo di richiesta per chi vuole essere socio del tuo centro.

4 Prepara un annuncio per la radio.

Centro Amici, il nuovo centro ricreativo, alla Port Richmond High School ogni giorno dalle ore 18 alle ore 20 e 30 e sabato dalle ore 16 alle ore 22. Attività fantastiche! Lezioni di cucina, giochi . . .

Attività tutti insieme

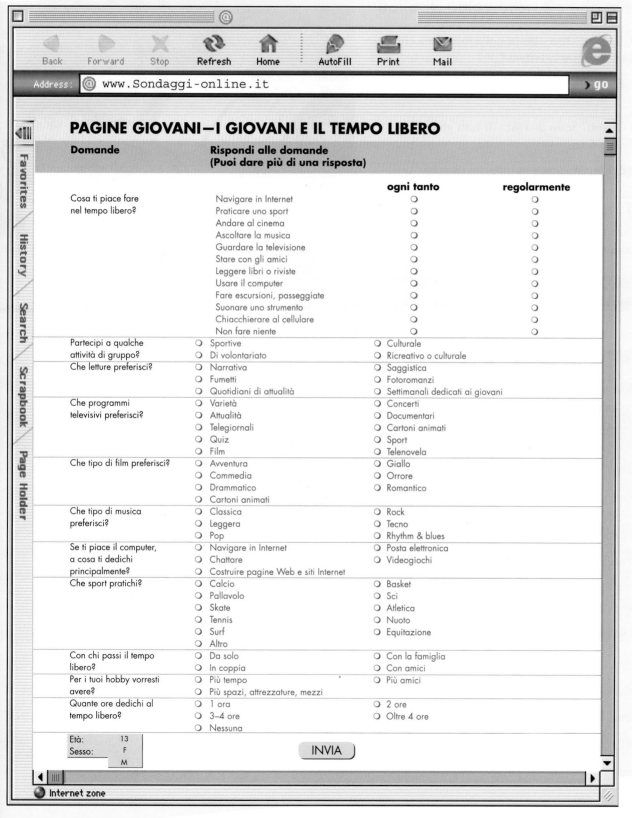

Address: www.Sondaggi-online.it

PAGINE GIOVANI—I GIOVANI E IL TEMPO LIBERO

Domande	Rispondi alle domande (Puoi dare più di una risposta)		ogni tanto	regolarmente
Cosa ti piace fare nel tempo libero?	Navigare in Internet		○	○
	Praticare uno sport		○	○
	Andare al cinema		○	○
	Ascoltare la musica		○	○
	Guardare la televisione		○	○
	Stare con gli amici		○	○
	Leggere libri o riviste		○	○
	Usare il computer		○	○
	Fare escursioni, passeggiate		○	○
	Suonare uno strumento		○	○
	Chiacchierare al cellulare		○	○
	Non fare niente		○	○
Partecipi a qualche attività di gruppo?	○ Sportive	○ Culturale		
	○ Di volontariato	○ Ricreativo o culturale		
Che letture preferisci?	○ Narrativa	○ Saggistica		
	○ Fumetti	○ Fotoromanzi		
	○ Quotidiani di attualità	○ Settimanali dedicati ai giovani		
Che programmi televisivi preferisci?	○ Varietà	○ Concerti		
	○ Attualità	○ Documentari		
	○ Telegiornali	○ Cartoni animati		
	○ Quiz	○ Sport		
	○ Film	○ Telenovela		
Che tipo di film preferisci?	○ Avventura	○ Giallo		
	○ Commedia	○ Orrore		
	○ Drammatico	○ Romantico		
	○ Cartoni animati			
Che tipo di musica preferisci?	○ Classica	○ Rock		
	○ Leggera	○ Tecno		
	○ Pop	○ Rhythm & blues		
Se ti piace il computer, a cosa ti dedichi principalmente?	○ Navigare in Internet	○ Posta elettronica		
	○ Chattare	○ Videogiochi		
	○ Costruire pagine Web e siti Internet			
Che sport pratichi?	○ Calcio	○ Basket		
	○ Pallavolo	○ Sci		
	○ Skate	○ Atletica		
	○ Tennis	○ Nuoto		
	○ Surf	○ Equitazione		
	○ Altro			
Con chi passi il tempo libero?	○ Da solo	○ Con la famiglia		
	○ In coppia	○ Con amici		
Per i tuoi hobby vorresti avere?	○ Più tempo	○ Più amici		
	○ Più spazi, attrezzature, mezzi			
Quante ore dedichi al tempo libero?	○ 1 ora	○ 2 ore		
	○ 3–4 ore	○ Oltre 4 ore		
	○ Nessuna			

Età: 13
Sesso: F
M

(INVIA)

Internet zone

Ripasso Unità 1, 2, 3

*Guarda le sezioni "Lo sai . . . ?"
alle pagine 21, 33 e 45.*

Quello che c'è nello zaino di Elisa

1a Trova quattro oggetti nella fotografia che com inciano per la lettera C.

Esempio *cartelle*

b Quanti? Scrivi una lista di tutti gli oggetti nella foto.

Esempio *cinque matite, tre cassette . . .*

c Disegna uno zaino con cinque oggetti. Il tuo compagno/La tua compagna di classe indovina cosa hai nello zaino.

> Hai delle forbici?

A

> Sì, ho delle forbici! / No, mi dispiace.

B

Informazioni su Internet

2a Leggi le informazioni.
Copia e completa la scheda di Evelina.

Nome: ....

Età: ....

Data di compleanno: ....

Abita: ....

Fratelli/Sorelle: ....

Animali: ....

A scuola le piace/piacciono: ....

Attività sera/week-end: ....

....

b Scrivi un'e-mail con delle informazioni su di te.

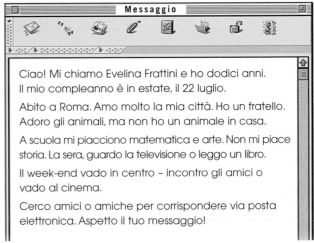

Messaggio

Ciao! Mi chiamo Evelina Frattini e ho dodici anni. Il mio compleanno è in estate, il 22 luglio.

Abito a Roma. Amo molto la mia città. Ho un fratello. Adoro gli animali, ma non ho un animale in casa.

A scuola mi piacciono matematica e arte. Non mi piace storia. La sera, guardo la televisione o leggo un libro.

Il week-end vado in centro – incontro gli amici o vado al cinema.

Cerco amici o amiche per corrispondere via posta elettronica. Aspetto il tuo messaggio!

Matteo   Elisabetta   Enrico   Chiara

3 Ascolta. Prendi degli appunti.

Età * Data di compleanno * Piace/Piacciono * Non piace/Non piacciono

Esempio *Matteo – 14 anni, 31 gennaio, gli piacciono biologia e la televisione, non gli piacciono inglese e sport*

Un rompicapo

4 Chi è Max?

Max
Ho tredici anni.
Abito a Milano.
Il mio compleanno è in autunno.
Ho un fratello, non ho sorelle, e ho un gatto.
A scuola mi piacciono italiano e informatica.
Detesto matematica. Il week-end vado a giocare a
ping-pong o vado in centro per incontrare gli amici.
Non mi piace guardare la televisione ma adoro
ascoltare la musica e suonare il pianoforte.

Il numero 1 ha dodici anni.

Il numero 5 ha un gatto.

Il numero 2 abita a Milano.

Il numero 3 non abita a Milano.

Al numero 4 piace italiano.

Al numero 2 non piace matematica.

Al numero 1 piace ascoltare la musica.

Il compleanno del numero 4 è il 24 ottobre.

Il compleanno del numero 5 è il 3 aprile.

Il numero 3 ha un cavallo.

Al numero 2 piace molto ascoltare la musica.

Al numero 4 piace guardare la televisione.

Ti piace?

5a **A**, scegli quattro cose che ti
piacciono e quattro cose che non ti
piacciono. Fa due liste. Leggi le tue liste.

> Mi piace il calcio.
> Non mi piace leggere.

B, prendi degli appunti.

Esempio *piace il calcio, non piace leggere*

b Scrivi delle frasi sul tuo compagno/sulla tua
compagna di classe.

Esempio *A Jack piace il calcio. Non gli piace*
leggere.

4 Chi è?

You will learn how to . . .

✔ ask who someone is: *Chi è?*
✔ identify the members of your family: *È Marco. È mio padre.*
È mia madre. È il mio papà. È la mia mamma.

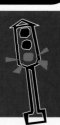

Il gioco delle sette famiglie

È domenica, sono le quattro del pomeriggio,
Joelle, Elisa, Luca e Paolo giocano al gioco delle sette famiglie.

1a 🔘 Ascolta il Cd. Trova le carte.

b 🔘 Ascolta e di' il numero.

c 🔘 Ascolta di nuovo. Di' il nome della persona.

2 👤 Test di memoria: chiudi il libro e fa delle domande.

> Chi è la persona numero 5?
> **A**

> È la nonna.
> **B**

Più tardi, Luca mostra le foto delle sue vacanze a Joelle.

Luca:	Ecco, sono mia madre e mio padre.
Joelle:	I tuoi genitori, ah sì! E queste, chi sono?
Luca:	Queste sono le mie zie con mio cugino Marco.
Joelle:	E questo chi è?
Luca:	Questo qua? È mio zio Giorgio.

3 Ascolta la conversazione tra Luca e Joelle. Trova le foto.

Guida pratica

Attenzione! Occhio agli accenti!
In italiano ci sono degli accenti. Guarda queste parole:

sì   perché   lunedì

città   è   più

può

5 Attenzione! L'accento può cambiare il significato di una parola. Che differenza c'è tra è ed e?

6 Guarda le pagine delle prime tre unità e trova dieci parole con un accento. Raffronta la tua lista con quella del tuo compagno/della tua compagna di classe.

4 È la famiglia di Joelle. Unisci le frasi alle foto.

È mia sorella.

È mia nonna.

È mio padre.

È mia madre.

È mio fratello.

Espressioni chiave

È mio padre.	È mia madre.	(i miei genitori)
È il mio papà	È la mia mamma.	
È mio fratello.	È mia sorella.	
È mio nonno.	È mia nonna.	(i miei nonni)
È mio cugino.	È mia cugina.	
È mio zio.	È mia zia.	(i miei zii)

4

Occhio su...

mio, mia, il mio, la mia, i miei, le mie

IN ITALIANO	IN INGLESE
mio padre	?
mia madre	?
i miei nonni	?
le mie zie	?
il mio libro	?
la mia matita	?

mio/il mio/mia/la mia/i miei/le mie: perché sono parole diverse?

ATTENZIONE! Si dice "la mia mamma" e "il mio papà".

Per parlare di una persona della famiglia

1 Trova i membri della famiglia a pagina 51 e continua la lista:

mio	mia	i miei	le mie
padre	madre		

2 Copia e completa le frasi con *mio, mia, i miei* o *le mie*.

a Sono _____ padre e _____ madre.
b Ecco _____ tre fratelli.
c Sono _____ sorella con _____ nonni.
d Sono _____ zio e _____ zia.
e Sono _____ cugino Paolo e _____ cugine Anna e Cristina.

3a Guarda il disegno. Chi c'è nella tua famiglia? Scrivi delle frasi.

Esempio Nella mia famiglia ci sono io, mia madre, i miei . . .

143

3b Parla della tua famiglia.

Per parlare di una cosa

4 Guarda i disegni. Fa delle domande.

> Che cos'è il numero 1?

A

> È il mio pennarello.

B

5 Copia e completa.

> Uffa! Ho perso la mia matita, . . . gomma, . . . fogli, il mio . . . , le mie . . . , i miei . . . e la mia . . . .

Ecco mia sorella

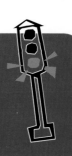

You will learn how to . . .

✔ give the names and ages of people in your family: *Si chiama Luca.*
   Si chiama Joelle. Lui/Lei ha quattordici anni.
✔ say where people live: *Abita a Milano.*
✔ ask other people's names and ages: *Come si chiama lui/lei?*
   Quanti anni ha lui/lei?

1a Ascolta Luca. Trova la foto giusta per:

Marco   Melissa   Davide   Giulia

1b Ascolta di nuovo. Scrivi l'età.

Esempio *Davide – cinque anni*

2 Lui o **lei**? Fa due liste.

Paolo	mio padre	la zia
lo zio	Giulia	mio cugino
il fratello di Joelle	mia cugina	la sorella di Luca

3a Scegli tre ragazzi. Descrivi i ragazzi. Chi sono?

> Lei ha quattordici anni. Abita a Milano. Come si chiama?

A

> Si chiama Lucia.

B

Lucia
14 anni
Milano

Roberto
11 anni
Roma

Elisabetta
12 anni
Napoli

Fabio
16 anni
Domodossola

Aurelia
13 anni
Catanzaro

Carlo
15 anni
Livorno

3b A, chiudi il libro e rispondi alle domande.

> Quanti anni ha Lucia?

B

> Ha quattordici anni.

A

In più

Scrivi le descrizioni.

4 Descrivi i tuoi amici.
   Esempio *La mia amica si chiama Sandy.*
   Ha tredici anni. Abita a Sydney.

...pressioni chiave

mio fratello	si chiama . . .	mia sorella	si chiama . . .
mio padre	ha . . . anni	mia madre	ha . . . anni
mio zio	abita . . .	mia cugina	abita . . .
il mio amico	si chiama . . .	la mia amica	si chiama . . .
Come si chiama?		Come si chiama?	
Quanti anni ha?		Quanti anni ha?	

I segreti della personalità

4

You will learn how to . . .

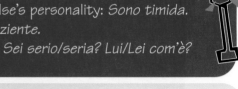

✔ describe your own and someone else's personality: *Sono timida. Sei intelligente. È simpatico. È paziente.*

✔ ask about someone's personality: *Sei serio/seria? Lui/Lei com'è?*

Il fratello ideale

a È simpatico.

b È intelligente.

c È coraggioso.

d È divertente.

e È paziente.

f È serio.

g È diligente.

h Non è timido.

i Non è aggressivo.

La sorella ideale

a È simpatica.

b È intelligente.

c È coraggiosa.

d È divertente.

e È paziente.

f È seria.

g È diligente.

h Non è timida.

i Non è aggressiva

1 Ascolta Joelle, Luca, Elisa e Paolo. Scrivi le qualità.

Esempio *Il fratello ideale di Joelle è c e g.*

2 Scegli tre aggettivi per descrivere ogni persona.

Esempio 1 – *È diligente, intelligente e simpatica.*

3a Dà la tua opinione. Com'è un fratello ideale?

Scrivi la lista delle sue qualità *(a–i)*. Comincia con la qualità più importante per te.

b E una sorella ideale? Scrivi una lista delle sue qualità.

4 Intervista un compagno/una compagna di classe. Lui/Lei risponde così:

Sì, sono molto . . . Sono abbastanza . . . No, non sono . . .

Come sei? Sei simpatico? **A**

Sì, sono simpatico. **B**

Sei intelligente? **A**

Sono abbastanza intelligente. **B**

5 Descrivi i tuoi professori.

La Signora Thomas, com'è? **A**

È divertente. Il Signor Jones, com'è? **B**

È molto paziente e diligente. **A**

Io? Sono diligente, paziente e . . . **B**

6 Tu come sei? Descrivi la tua personalità.

Joelle descrive la sua famiglia

Mi chiamo Joelle Fiorelli. Ho tredici anni e abito a Milano con mia nonna. Mia nonna si chiama Esther. Ha sessantasei anni. È simpatica e molto paziente con me. Le piace leggere romanzi e ascoltare la musica classica.
Mio padre si chiama Davide. Ha quarantacinque anni. È divertente e serio allo stesso tempo. È un rappresentante e viaggia sempre. Mia madre si chiama Regina e ha quarantaquattro anni. È intelligente e qualche volta un po' timida. I miei genitori sono in Australia per lavoro.
Ho un fratello. Si chiama Samuele. Ha venti anni. Abita a Bologna. È molto intelligente e frequenta l'università. È sportivo. Gioca a calcio e a tennis.
Ho una sorella. Si chiama Miriam. Ha diciannove anni e abita a Londra. È simpatica. Le piace ballare e cantare.

7 a Leggi la lettera di Joelle e scrivi le risposte.

a Come si chiama la mamma?
b Come si chiama il fratello?
c Quanti anni ha il papà?
d Quanti anni ha la sorella?
e Quanti anni ha la mamma?
f Dove abita la sorella?
g Dove abita Joelle?
h Con chi abita?
i Com'è la nonna?
l Com'è la sorella?
m Com'è il fratello?
n Com'è il papà?
o Com'è la mamma?

b Descrivi la tua famiglia. Fa una brutta copia. Il tuo compagno/la tua compagna di classe legge e corregge gli errori. Poi, scrivi la tua descrizione in bella copia.

Per tenerti Informato

I carabinieri
L'arma dei carabinieri è nata il 13 luglio 1814 come corpo di militari che deve difendere lo Stato in tempo di guerra, proteggere l'ordine pubblico e far osservare le leggi.
I carabinieri sono forti, seri, coraggiosi, diligenti e onesti. Sono sempre pronti a combattere contro i criminali e a servire il loro paese, l'Italia.

Occhio su... gli aggettivi

Maschile	Femminile
uno zio simpatico	una zia simpatica
un fratello intelligente	una sorella intelligente
un amico divertente	un'amica divertente
un padre serio	una madre seria

8 A pagina 54, trova:
a quattro aggettivi che **non** cambiano
b quattro aggettivi con un maschile in –o e un femminile in –a.

142

Come sei?

You will learn how to . . .

✔ say what you look like: *Sono molto magro/magra. Sono biondo/bionda. Ho i capelli lunghi e ricci.*

✔ say what someone else looks like: *È abbastanza grasso. È alta.*

✔ ask what someone's hair is like: *Come sono i tuoi/i suoi capelli?*

La famiglia De Bruttis

è alto — è alta — è basso — è bassa — è grasso — è grassa — è magro — è magra

I quattro amici

Luca — Elisa — Paolo — Joelle

1 Ascolta le descrizioni. Scrivi la descrizione di Joelle, Luca e Elisa.

Esempio Paolo – abbastanza basso, abbastanza magro

In più

Utilizza i tuoi appunti. A, descrivi una persona. B, indovina chi è.

È abbastanza basso e abbastanza magro. Chi è?

A

È Paolo.

B

2 Guarda la famiglia Informa a pagina 50. Leggi le descrizioni. Chi è?

Esempio a – *la mamma Informa*

a È alta e magra.
b È alto e grasso.
c È basso ed è abbastanza grasso.
d È abbastanza bassa e abbastanza grassa.
e È abbastanza alto e molto magro.
f È bassa ed è magra.

In più

Descrivi te stesso/te stessa.

Espressioni chiave

ESSERE

Io sono	⎫ alto/alta, magro/magra, paziente
Tu sei	⎭
Lui è	alto, magro, paziente
Lei è	alta, magra, paziente

La festa dei capelli

Si cercano modelli e modelle!

Attenzione ragazzi!

Sei . . . biondo?

castano?

rosso?

Attenzione ragazze!

Sei . . . bionda?

castana?

rossa?

Telefona all'agenzia Top Model 02 614879356.

3a Ascolta. Scrivi il colore dei capelli di Mariella, Gaetano, Francesca, Alessandro, Isabella, Lorenzo e Sandra.

Esempio Mariella – bionda

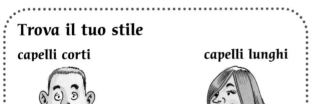

Trova il tuo stile

capelli corti   **capelli lunghi**

capelli ricci   **capelli lisci**

3b Ascolta di nuovo le conversazioni. Lunghi o corti? Lisci o ricci? Prendi degli appunti.

Esempio Mariella – lunghi, ricci

4 Come sono i suoi capelli?

Esempio a – È castana. Ha i capelli lunghi e ricci.

5 **A**, lavori all'agenzia Top Model e rispondi al telefono. **B**, telefoni all'agenzia Top Model. Dà il tuo nome e una descrizione dei tuoi capelli.

Esempio

A: Buongiorno, Agenzia Top Model.

B: Buongiorno. Cercate dei modelli/delle modelle?

A: Sì. Come ti chiami?

B: Mi chiamo . . .

A: Come sono i tuoi capelli?

B: Sono . . . Ho i capelli . . .

6 Descrivi i capelli di otto persone (amici, persone della tua famiglia, professori, attori, ecc.).

Esempio Mio fratello è castano. Ha i capelli corti e lisci.

Espressioni chiave

Sono / Sei	{	biondo/bionda castano/castana rosso/rossa
Lui è / Lei è		biondo, castano, rosso / bionda, castana, rossa
Ho / Hai / Lui ha / Lei ha	i capelli {	lunghi corti lisci ricci

Parole nuove

4

You will learn how to . . .

✔ find out what new words mean
✔ learn how to pronounce *gn*

Guida pratica

Un problema?

"Velenoso", che cosa significa?

SERPENTE VELENOSO

Tre soluzioni . . .

1 Indovina!

Mia sorella è **ingegnere**.
My sister is . . . an **engineer**/a salesperson?

Mio fratello è **medico**.
My brother is . . . a computer programmer/a **doctor**? → **medicine**

1 Che cosa significa? Indovina!

a un aeroporto
b la passione
c valido
d generoso
e la cultura
f un pilota

---

2 Chiedi!

Che cosa significa "un regalo"?

2 Leggi il testo. Una parola nuova? Chiedi al professore/alla professoressa.

Salve a tutti! Mi chiamo Edoardo. I miei genitori sono professori. Ho una sorella, si chiama Sabina. È molto simpatica e le piace chiacchierare con le sue amiche al cellulare. Il week-end vado a fare delle lunghe passeggiate in campagna. Amo la natura e gli animali. Il mio migliore amico è Bruno. È buffo! È un mio vicino di casa.

3 Cerca!

Guarda le pagine 158–166. C'è una lista di parole ed espressioni in ordine alfabetico.

3a Metti gli aggettivi in ordine alfabetico.

cattivo	povero	vecchio	giapponese
giovane	brutto	moderno	freddo

b Cerca gli aggettivi sulle pagine 158–166. Dà l'equivalente in inglese.

Si dice così!

Il suono gn

4 Ascolta e ripeti le parole.

una lavagna

la signora Informa

una montagna

il signor Informa

la signorina Informa

le lasagne
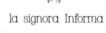

un disegno

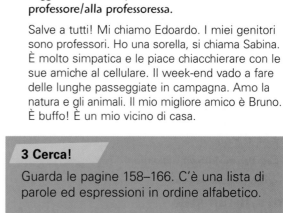

 # Romeo il gatto matto

Lo sai . . . ?

✔ parlare della famiglia	*Chi è? È Marco, mio padre, mia madre, mio fratello, mia sorella, mio zio, mia zia, mio nonno, mia nonna, la mia mamma, il mio papà*
	Come si chiama lui/lei? Quanti anni ha lui/lei? Lui/Lei si chiama … Lui/Lei ha dodici anni.
✔ descrivere la personalità di una persona	*Come sei? Lui/Lei com'è? Sono, sei, lui/lei è simpatico(a), diligente, divertente, timido(a), paziente*
✔ descrivere l'aspetto fisico di una persona	*Sono, sei, lui/lei è, (molto/abbastanza) alto(a), basso(a), magro(a), grasso(a). Come sono i tuoi/suoi capelli? Sono, sei, lui/lei è biondo(a), castano(a), rosso(a). Ho, hai, lui/lei ha, i capelli corti, lunghi, lisci, ricci.*

E la grammatica?

✔ mio, mia, i miei, le mie, il mio, la mia	*mio padre, mia madre, i miei fratelli, le mie sorelle, il mio papà, la mia mamma, il mio pennarello, la mia gomma*
✔ lui, lei + verbo	*Si chiama Roberto, è basso. Lei ha i capelli corti.*
✔ il maschile e il femminile degli aggettivi	*alto/alta, simpatico/simpatica, paziente*

1 Prepara il gioco delle sette famiglie.

> Hai il papà della famiglia Fantasmini?
>
> **A**
>
> Sì, certo!
>
> **B**

> Hai la mamma della famiglia Fantasmini?
>
> **A**
>
> No, mi dispiace.
>
> **B**

2 Prepara un album di personaggi famosi.
- Ritaglia la foto di un personaggio famoso da una rivista.
- Incolla la foto su un foglio bianco.
- Scrivi una descrizione del personaggio.

Si chiama Vincent Candela. Ha trent'anni. È abbastanza alto. È magro. Ha i capelli castani. Adora il calcio e gioca per la Roma.

3 Attenzione! I carabinieri cercano un criminale pericoloso/una criminale pericolosa.

Chi è? Qualcuno della tua famiglia? Un amico o un'amica? Un professore o una professoressa? Fa un manifesto.
- Scrivi il titolo: Ricercato!/Ricercata!
- Fa un disegno o incolla una sua fotografia sul manifesto.
- Scrivi una descrizione della persona.
- Attacca il tuo manifesto al muro.

Si chiama Tommaso Terrore.
Ha trent'anni.
Abita a Milano.
È alto. È abbastanza grasso.
Ha i capelli corti e lisci.

Attività tutti insieme

Cantiamo tutti insieme!

La famiglia Fantasmini

Coro

Su ragazzine e ragazzini,
Incontriamo la famiglia Fantasmini!

1

C'è il papà che è grande e grosso,
Con i baffi e un naso rosso.
È gentile, non è serio,
Il suo nome è Saverio.

Coro

2

C'è la mamma che è grande e grossa,
Porta sempre una parrucca rossa.
È timida, mai aggressiva,
Il suo nome è Maria Iva.

Coro

3

C'è il figlio che è piccolo e magro,
È paziente e molto allegro,
Divertente e simpatico,
Il suo nome è Federico.

Coro

4

C'è la figlia che è piccola e magra,
È divertente e molto allegra,
Diligente e coraggiosa,
Il suo nome è Maria Rosa.

Coro

Ritratto di un'attrice

Nome: Fran Larini (Il suo vero nome è Francesca Lasagna.)

Età: È nata il 10 aprile 1980.

Alla televisione: Nei telefilm "La ragazza della montagna" e "La ragazza della montagna 2"

Il suo ruolo: È Roberta. Apparentemente una dura. In realtà è fragile e generosa.

Le sue passioni: La famiglia, gli gnocchi e il teatro

Qualità: Ottimista

Difetti: Superstiziosa

Amici/Amiche di penna

13567: Salve! Mi chiamo Lia. Ho dodici anni. Sono piccola, ho i capelli rossi e sono molto simpatica! Adoro il calcio e i videogiochi. Scrivimi presto!

13468: Mi chiamo Gianni e ho tredici anni. Sono un tipo calmo e serio. Mi piace il disegno e la televisione. Sono abbastanza alto e sono biondo.

13569: Buongiorno! Il mio nome è Annamaria. Sono alta, magra, intelligente e non sono mai pigra. Ho i capelli castani lunghi e lisci. Amo ascoltare la musica e fare sport.

13570: Ciao a tutti! Sono Michele. Sono gentile ma anche un po' pazzo! Adoro gli animali: ho due cani e un pappagallo a casa mia. Ho i capelli corti e sono molto alto.

13571: Mi chiamo Isabella. Sono abbastanza timida e, in generale, ottimista. Mi piace giocare a tennis e leggere dei romanzi. Sono abbastanza alta e ho i capelli ricci e castani.

5

 ## Dove abiti?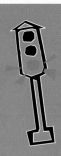

You will learn how to . . .

✔ describe where you or someone else lives: *Abito in un appartamento. Mio padre abita in una villetta.*

✔ say who lives on which floor: *Abito al pianterreno. Luca abita al secondo piano.*

✔ say who you or someone else lives with: *Vivo con mia nonna. Pierino vive con suo zio.*

La mia casa

Un'inchiesta . . .

1 Leggi e ascolta.

Carabiniere 1: Cerchiamo un giovane delinquente. Si chiama Pierino Malfatti e vive con suo zio.

Carabiniere 2: Chi abita qui?

Joelle: Mi chiamo Joelle e vivo con mia nonna al pianterreno. Anche i miei amici abitano in questo palazzo. Paolo abita al primo piano, Luca abita al secondo piano e Elisa abita al terzo piano.

Pierino non vive qui.

Espressioni chiave

Io abito Lui/Lei abita	al	terzo piano secondo piano primo piano pianterreno

È l'appartamento di Joelle.
Vivo con mia nonna
Lui/Lei vive con suo zio.

2 Di chi è l'appartamento?

Esempio a – È l'appartamento di Joelle.
Abita al pianterreno.

Le foto di Joelle

Sydney, Australia
Mio padre abita in una villetta.

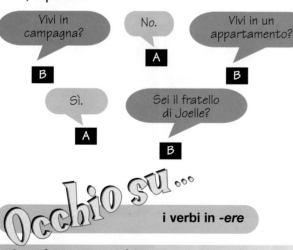

Londra, Inghilterra.
Mia sorella abita in un
ostello a Londra.

Bologna, Italia
Mio fratello abita in un
appartamento in città.

Canada
Il mio amico di penna
vive con la sua famiglia
in un camper.

3 💿 **Chi parla?**

Esempio 1 – È il padre di Joelle.

4 👤 Scegli un personaggio. **B**, fa le domande.
A, rispondi sì o no.

- Vivi in campagna?
- No. **A**
- Vivi in un appartamento?
- **B**
- Sì. **A**
- Sei il fratello di Joelle? **B**

Occhio su...

i verbi in -ere

Guarda questo verbo:

VIVERE

io vivo	noi viviamo
tu vivi	voi vivete
lui/lei vive	loro vivono

5 Altri due verbi come vivere sono *leggere* e *scrivere*. Completa e copia i verbi.

a leggere

io _____	noi leggiamo
tu leggi	voi _____
lui/lei _____	loro leggono

Espressioni chiave

Io abito	in un palazzo	in città
Tu abiti	in un ostello	in campagna
Lui/Lei abita	in una villa	in un paese
	in un appartamento	in centro
	in una villetta	a Bologna

b scrivere

io scrivo	noi _____
tu _____	voi scrivete
lui/lei scrive	loro _____

6 Completa i verbi e copia le frasi.

- **a** Pierino viv_____ con suo zio in un appartamento a Milano.
- **b** Noi scriv_____ una lettera a Babbo Natale ogni anno.
- **c** Tu legg_____ per un'ora tutte le sere.
- **d** Io viv_____ con la mia famiglia in una villa in Toscana.
- **e** Voi scriv_____ dei racconti fantastici.
- **f** Loro legg_____ il giornale la mattina presto.

-ete · -i · -ono · -iamo · -o · -e

149

Visita a un appartamento milanese

You will learn how to . . .

✔ say where different rooms are: *Ecco la cantina, il soggiorno . . .*
Ecco la mia camera da letto.

✔ ask where the rooms are in someone's house: *Dov'è il soggiorno?*

✔ ask about and describe rooms: *Com'è la tua cucina?*
La cucina è moderna.

1 Ascolta e poi con un compagno/una compagna di classe fate le parti.

La zia Lorena mi invita nel suo nuovo appartamento. Fantastico!

1

Benvenuta nel mio appartamento. Qui c'è il mio studio.

Grazie. Il tuo studio è bello.

2

Ecco la sala da pranzo

Che bella. Dov'è il soggiorno?

Il soggiorno è qui accanto.

3

Ecco il soggiorno.

4

E ecco la cucina.

È molto moderna.

5

Questa è la tua camera da letto?

Sì.

È molto pulita e ordinata.

6

Ecco il bagno.

È piccolo ma bello.

7

Qui c'è la cantina.

Ti piace il vino?

8

Ed ecco il cortile.

È molto grande!

9

Grazie. Mi piace molto la tua casa.

10

2 Ecco un disegno di una villa. Scrivi delle frasi.
Esempio *Dov'è la cucina? La cucina è al pianterreno.*

Espressioni chiave

la casa

la cantina

il soggiorno

il giardino

il cortile

il bagno

la sala da pranzo

la camera da letto

lo studio

la cucina

Com'è la tua casa?

Al pianterreno c'è la cucina/lo studio . . .

3 **B**, disegna in segreto la pianta di una casa.

> Com'è la tua casa?
>
> **A**

> Abito in una casa a due piani. Al pianterreno c'è . . .
>
> **B**

A, ascolta le risposte e disegna la pianta. Verifica la pianta con il tuo compagno/la tua compagna di classe.

4a Samuele, il fratello di Joelle, telefona. Fa un elenco delle stanze e scrivi le descrizioni.

Esempio *soggiorno – carino*

Dal 15 novembre
Samuele Fiorelli ha un nuovo appartamento . . .

Via del Forte 15C
40127 Bologna

Aggettivi utili

fantastico   gialla
piccolo   comoda
grande   carino
moderna   ordinata
disordinata   pulita

4b Fa un elenco degli aggettivi. Poi completa l'elenco.
Esempio

maschile	femminile
piccolo	piccola

5 Parlate delle vostre case.

> Com'è la tua cucina?
>
> **A**

> La mia cucina è moderna e carina.
>
> **B**

> Com'è il tuo giardino?
>
> **B**

> Non c'è un giardino.
>
> **A**

In più

Scrivi delle frasi.

Esempio *La mia cucina è _____ e _____.*

Attenzione!
Come si dice in italiano *is*?
Come si dice in italiano *and*?
Occhio all'accento!

La mia camera

You will learn how to . . .

✔ ask people what they have in their room: *Nella tua camera da letto c'è una radio? Hai uno scaffale nella tua camera?*

✔ say what you have or haven't got in your room: *Nella mia camera ho una sedia. Non c'è uno scaffale nella mia camera.*

✔ ask where things are: *Dov'è la calcolatrice?*

✔ say where things are: *La lampada è sul cassettone. Lo skateboard è nella borsa verde.*

✔ say what colour they are: *La coperta da letto è blu.*

1 Unisci le parole chiave alle foto.

Parole chiave

una scrivania	uno scaffale
un letto	un armadio
una libreria	una lampada
un tappeto	una sedia
un cuscino	un cassettone
un computer	

2 Ascolta Joelle, Elisa, Paolo e Luca. Scrivi le lettere.

Esempio *Joelle – g, e, h, b, c*

Per la camera dei ragazzi . . .

Offerte speciali

3 Hai una sedia nella tua camera da letto?

A

Sì, ho una sedia. **B**

C'è uno scaffale nella tua camera? **B**

No, non c'è uno scaffale. **A**

Occhio su...

le preposizioni *su* e *in*

Guarda questa frase:

*Il cuscino è **sul** letto.*

su + il = **sul**	su + i = **sui**
su + l' = **sull'**	
su + lo = **sullo**	} su + gli = **sugli**
su + la = **sulla**	
su + l' = **sull'**	} su + le = **sulle**

4 Scrivi una frase per ogni parola.

cassettone   sedia   letto

tappeto   scrivania

Esempio *La lampada è sul cassettone.*

Guarda questa frase:

*La chitarra è **nell'**armadio*

in + il = **nel**	in + i = **nei**
in + l' = **nell'**	
in + lo = **nello**	} in + gli = **negli**
in + la = **nella**	
in + l' = **nell'**	} in + le = **nelle**

5 Scrivi una frase per ogni parola.

armadio   libreria

computer   borsa

Esempio *La chitarra è nell'armadio.*

6 È la camera da letto di Elisa o di Paolo? Ascolta e verifica.

7 Vero o falso?

a Il computer è sulla scrivania.

b La libreria è fra il letto e la scrivania.

c La chitarra è nella borsa.

d La tuta è nell'armadio.

e Le scarpe da tennis sono sotto la scrivania.

f La lampada è sull'armadio.

g Il tappeto è davanti alla libreria.

h Il cuscino è sul letto.

i Il cassettone è davanti al letto.

Guida pratica

Identifica la parola chiave in ogni frase.
Esempio *Il computer è sulla scrivania.*

Parole chiave

su
sotto
in
davanti a
fra

8 Con il tuo compagno/la tua compagna di classe inventate delle frasi sulla camera.

Dov'è la calcolatrice? **A**

Sulla scrivania. **B**

Dove sono le scarpe da tennis? **B**

Sotto la scrivania. **A**

9a Guardate la camera da letto.

Di che colore è l'armadio? **A**

L'armadio è blu. **B**

Di che colore è il cuscino? **B**

Il cuscino è rosso. **A**

Attenzione!

maschile	femminile
arancione	arancione
blu	blu
bianco	bianca
giallo	gialla
grigio	grigia
marrone	marrone
nero	nera
rosa	rosa
rosso	rossa
verde	verde

b Descrivi la camera da letto.

Esempio *Lo skateboard è nella borsa verde.*
La lampada gialla è sul cassettone.

Parole chiave

rosso	giallo	verde
arancione	grigio	marrone
blu	rosa	nero
bianco		

Nella mia camera da letto

You will learn how to . . .

✔ ask people what they do in their bedroom: *Che cosa fai nella tua camera da letto?*
✔ say what you do in your room: *Nella mia camera da letto leggo, scrivo, parlo con il mio gatto .*

1a Ascolta Luca.

b Unisci le frasi ai disegni.
   Esempio a – *Gioco a basket.*

Espressioni chiave

Ascolto la musica.
Parlo con il mio gatto.
Guardo la televisione.
Disegno.
Mangio delle caramelle.
Osservo il cielo.
Gioco a basket.
Faccio i compiti.
Suono la chitarra.
Dormo.
Leggo.
Bevo un'aranciata.
Faccio esercizio con
   la bicicletta.

2 Che cosa fai nella tua camera?
Ripeti la frase se è vera.

3 Chiedi al tuo compagno/alla
tua compagna di classe cosa fa nella sua camera.

Ascolti la
musica nella tua
camera?
A

Sì, ascolto
la musica.
B

Giochi a
basket nella tua
camera?
B

No, non
gioco a basket.
A

In più

Che cosa fai
nella tua camera?
A

Dormo . . .
B

4a Ascolta Anna, Jonathan, Luciano e
Stefania. Scrivi le lettere.
   Esempio Anna – e, c . . .

b Chi fa attività come le tue?

Occhio su...

il mio, la mia, i miei, le mie, il tuo, la tua,
i tuoi, le tue, il suo, la sua, i suoi, le sue

1 Copia e completa con *mio, mia, miei o mie.*

a Mi piace il _____ letto. È comodo.
b La _____ camera è carina.
c Nella mia camera faccio i _____ compiti.
d Parlo con le _____ sorelle.
e La calcolatrice è sulla _____ sedia.

Attenzione!

singolare	
maschile	femminile
il mio	la mia
plurale	
i miei	le mie

2 Ascolta il dialogo.

Joelle: Dov'è il tuo zaino, Luca?
Luca: Il mio zaino?
Joelle: Sì, il tuo zaino per la scuola! È lunedì. Hai le tue scarpe da tennis per educazione fisica e la tua calcolatrice per matematica?
Luca: Accidenti, no! Le mie scarpe da tennis sono nello zaino e il mio zaino è nella mia camera. E la mia calcolatrice è sulla mia scrivania con i miei libri di matematica. Aiuto!

_____

Joelle: Ciao, Paolo!
Paolo: Salve Joelle. Dov'è Luca?
Joelle: Cerca il suo zaino, le sue scarpe da tennis, la sua calcolatrice e i suoi libri di matematica. Paolo, hai i tuoi quaderni per la lezione di storia?
Paolo: Mamma mia, no! I miei quaderni di storia sono nel mio soggiorno!
Joelle: Uffa! Questi ragazzi!

3a Come si dice "your" in italiano? Trova quattro esempi nei dialoghi.

b Come si dice "his/her" in italiano? Trova quattro esempi nei dialoghi.

4 Inserisci le parole dell'attività 3 in una tabella nel tuo quaderno.

	singolare		plurale	
	maschile	femminile	maschile	femminile
io	il mio		i miei	
tu		la tua		
lui/lei				le sue

5 Inventa un rap o una canzone per imparare a memoria le parole. Registralo.

Esempio *Il mio gatto è sotto il letto.*
La mia scarpa è bianca e blu.
I miei . . .

6 Il gioco a tre.

È la **tua** gomma? **A**
No, è la **sua** gomma. **B**
È vero? **A**
Sì, è la **mia** gomma. **C**
È il **tuo** libro? **B**
Sì, è il **mio** libro. **C**

Cantiamo

5

You will learn how to . . .

✔ pronounce the Italian r (erre)

1 Ascolta la canzone.
Trova la foto per ogni verso.

1
Nel centro di Milano,
Fra i tanti bei palazzi,
Ce n'è uno grande e grigio,
Con un sacco di terrazzi.

Coro

Canta il rap dei quattro ragazzi,
Risa, scherzi e sollazzi,
Ci divertiamo da pazzi,
Con il rap dei quattro ragazzi!

2
Joelle ha l'appartamento,
Nel palazzo al pianterreno.
È una ragazza brava e bella,
Con un sorriso molto sereno.

Coro

3
Paolo è al primo piano,
Poi c'è Luca al secondo,
Elisa abita al terzo,
Questo è tutto il loro mondo.

Coro

4
Il palazzo così moderno,
Si trova al centro di Milano,
La città più grande in Lombardia,
Con il suo ritmo metropolitano.

Coro

2 Trova sei aggettivi nel testo della canzone e
inventa una frase con ogni aggettivo.

3 Inventa un verso nuovo.

Si dice così!

La pronuncia della r in italiano.

4 Ascolta e ripeti. Attenzione alla pronuncia della *r* !

trentatré   Martino   grande   erre   birra   Roberto   Perugina   rabarbaro   errore   burro

5 Come si dice? Ascolta e ripeti.

Nella mia camera ci sono un armadio, una libreria e quattro poster.
In Italia il professore corregge gli errori con la matita rossa.

6 Trova e scrivi tutte le parole della canzone con l'erre. Ascolta per verificare la pronuncia. **E canta!**

Romeo il gatto matto

Lo sai . . . ?

✔ parlare di case

Com'è la tua casa? Abito in un appartamento in città. Lui abita in una villetta a Sydney. Al pianterreno ci sono la cucina, lo studio Com'è la tua cucina? La mia cucina è moderna e carina.

. . .

✔ parlare della tua camera

Nella tua camera c'è una scrivania? Nella mia camera c'è una scrivania, un letto e un armadio. Non c'è uno scaffale nella mia camera.
Il cuscino è rosso. Il letto è blu.

✔ parlare delle tue attività

Cosa fai nella tua camera da letto? Nella mia camera dormo, leggo e faccio i compiti.

E la grammatica?

✔ i verbi in -ere

vivo, vivi, vive . . . leggo, leggi, legge . . .

✔ sotto, fra, su, davanti a, in

L'armadio è fra il cassettone e il letto. Le scarpe da tennis sono sotto la scrivania. La borsa è sulla sedia. Il tappeto è davanti alla libreria. La tuta è nell'armadio.

✔ gli aggettivi

La mia camera è grande. Il mio appartamento è moderno.

✔ il mio, la mia, i miei, le mie
il tuo, la tua, i tuoi, le tue,
il suo, la sua, i suoi, le sue

Luca cerca il suo zaino, le sue scarpe da tennis, la sua calcolatrice e i suoi libri di matematica.

Tutti insieme

1 Fa un elenco dei mobili necessari per la camera da letto.
Esempio un letto, . . .

2 👤 Discutete. Scrivete le cose importanti.

C'è una televisione?
A

No, non è importante.
B

C'è una scrivania?
B

Sì, è molto importante!
A

3 Fa un disegno della camera e scrivi delle frasi.
Esempio

Ascolta la musica.

Gioca al computer

4 Scrivi una descrizione della camera

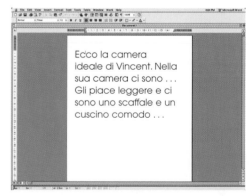

Ecco la camera ideale di Vincent. Nella sua camera ci sono . . . Gli piace leggere e ci sono uno scaffale e un cuscino comodo . . .

Il tuo compagno/la tua compagna di classe ha delle idee o delle correzioni per la tua descrizione?

In più

E tu? Com'è la tua camera ideale?

Attività tutti insieme

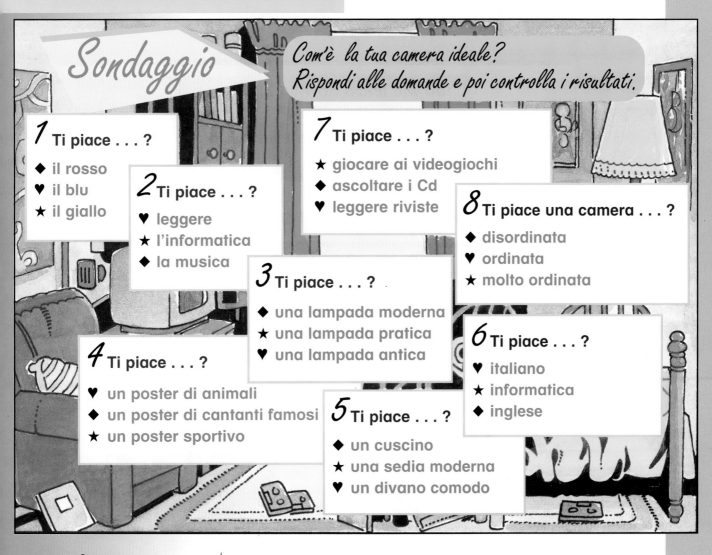

Sondaggio

Com'è la tua camera ideale?
Rispondi alle domande e poi controlla i risultati.

1 Ti piace . . . ?
- ◆ il rosso
- ♥ il blu
- ★ il giallo

2 Ti piace . . . ?
- ♥ leggere
- ★ l'informatica
- ◆ la musica

3 Ti piace . . . ?
- ◆ una lampada moderna
- ★ una lampada pratica
- ♥ una lampada antica

4 Ti piace . . . ?
- ♥ un poster di animali
- ◆ un poster di cantanti famosi
- ★ un poster sportivo

5 Ti piace . . . ?
- ◆ un cuscino
- ★ una sedia moderna
- ♥ un divano comodo

6 Ti piace . . . ?
- ♥ italiano
- ★ informatica
- ◆ inglese

7 Ti piace . . . ?
- ★ giocare ai videogiochi
- ◆ ascoltare i Cd
- ♥ leggere riviste

8 Ti piace una camera . . . ?
- ◆ disordinata
- ♥ ordinata
- ★ molto ordinata

★ La tua camera: pratica, moderna, molto ordinata. La camera di una persona attiva, ma organizzata.

♥ La tua camera: comoda, ordinata e con colori tranquilli! Molto rilassante.

◆ La tua camera: colorata, piena di musica, moderna . . . e molto disordinata.

Risultati

Hai un maggior numero di ◆, di ♥ o di ★?
Ecco la tua camera ideale. Sei d'accordo?

Ho sete!

You will learn how to . . .

- ✓ say you are thirsty: *Ho sete.*
- ✓ say what you'd like to drink: *Vorrei una Coca.*
- ✓ ask someone what they want: *Cosa vuoi?*

Sabato pomeriggio: Joelle e Luca sono al bar.

1 Leggi e ascolta la conversazione.

Ho sete! Vorrei una Coca. Tu cosa vuoi?

Vorrei un succo d'arancia.

Una Coca e un succo d'arancia, per piacere.

Ecco!

Grazie.

Grazie.

Buon appetito!

Qualcosa da bere . . .

un succo d'arancia

una limonata

un bicchiere d'acqua

una granita alla menta

una cioccolata calda

una Coca

un caffè

un frappè

un tè al latte

2a Guarda i disegni. Che cos'è? Indovina.

b Ascolta il Cd per la verifica.

Esempio *Il disegno numero uno è una Coca.*

3 Test di memoria. **A**, guarda i disegni e fa delle domande. **B**, chiudi il libro e rispondi.

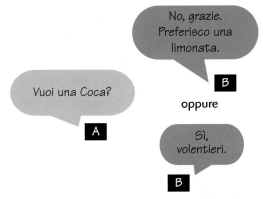

È una granita alla menta.

B

Il disegno numero tre, che cos'è?

A

Sì.

A

In più

Chiudi il libro e scrivi i nomi delle nove bibite. Hai finito? Apri il libro e verifica l'ortografia.

4 Fa nove domande al tuo compagno/alla tua compagna di classe.

No, grazie. Preferisco una limonata.

B

Vuoi una Coca?

A

oppure

Sì, volentieri.

B

5 Gioco di ruolo. Siete in un bar. Cambiate il dialogo a pagina 74.

Esempio *a*

A: Ho sete! Vorrei <u>una limonata</u>. Tu, cosa vuoi?

B: Vorrei <u>una Coca</u>.

A: <u>Una limonata</u> e <u>una Coca</u>, per favore.

C: Ecco. <u>Una limonata</u> e <u>una Coca</u>.

A/B: Grazie.

Qualcosa da mangiare . . .

6

You will learn how to . . .

✓ ask for food: *Vorrei del burro, della marmellata, delle uova* . . .
✓ explain what people eat/drink: *Mangia la frutta. Mangia gli spaghetti. Beviamo dell'acqua. Mangiamo del formaggio.*

1a Ascolta e trova i cibi.

b Ascolta di nuovo. Poi scrivi i nomi dei cibi.

Esempio del burro, del latte, . . .

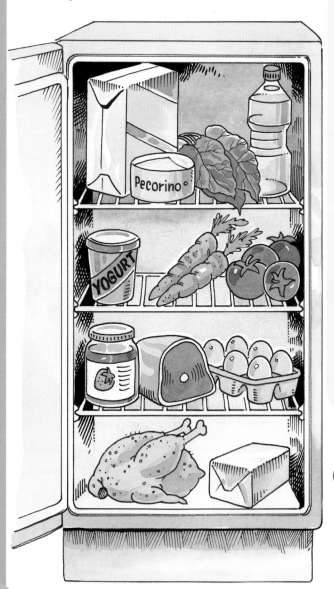

2 Trova una lista adatta per ogni cestino della spesa.

del latte
del burro
delle uova

a

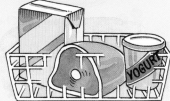

del formaggio
dei pomodori
della marmellata

b

del pollo
dell'acqua minerale
delle uova

c

del latte
del prosciutto
dello yogurt

d

3 Guarda i cestini della spesa. Scrivi delle liste.

Esempio a – del latte, del formaggio, delle uova

a

b

c

d

4a Ascolta la canzone. Canta con il Cd.

b Trova delle cose da bere/da mangiare.
Scrivi due liste.

Esempio

Cosa c'è da bere?	Cosa c'è da mangiare?
dei cappuccini	dei biscotti

Occhio su...

del, dello, dell', della, dei, degli, delle

Vorrei del cioccolato.
Vorrei dell'agnello.
Vorrei della frutta.
Vorrei dell'acqua minerale.
Vorrei delle carote.
Vorrei dei cornetti.
Vorrei dello yogurt.
Vorrei degli spinaci.

Buon appetito a tutti!

1
La mattina si fa colazione in cucina,
Mangiamo dei cornetti,
Con della marmellata,
E così comincia la giornata.

Coro
In Francia si mangia il formaggio,
In Cina si mangia il riso,
Si beve Coca-Cola negli Stati Uniti,
Ma preferiamo i cappuccini.

2
A mezzogiorno si pranza alla mensa,
Mangiamo della minestra,
Poi della carne e della verdura,
Ma preferiamo andare a casa.

Coro
3
Alle quattro si fa merenda,
Beviamo della cioccolata calda,
Con delle torte o dei biscottini,
Ma preferiamo i cioccolatini.

Coro
4
La sera si cena a casa,
Per contorno dell'insalata,
Mangiamo degli spaghetti,
Ma preferiamo i gelati.

Coro

5 Leggi le parole.
del/dello/dell'/della/dei/degli/delle = ? in inglese
del/dello/dell'/della/dei/degli/delle: perchè la
141 differenza?
di + il = ?

6 Copia e completa.

Al supermercato, vorrei . . .
burro, . . . frutta, . . .
spaghetti, . . . pomodori, . . .
yogurt, . . . uova, . . . agnello e
. . . aranciata.

Si dice così!

Sc *davanti alle vocali* **e** *ed* **i**

7a Ascolta i suoni **sce** e **sci**.

del pesce	*lo scellino*
non dire scemenze	*lo sciatore*
del prosciutto	*la piscina*

Preferisco i film di fantascienza.
Mi piace uscire con gli amici.
Brutto come una scimmia!

b Ascolta e ripeti.

8 Ascolta lo scioglilingua
e ripeti.

Sei scimmie sciatori sceme,
Con le sciarpe a strisce,
Sciano sciattamente sugli sci.

I pasti

You will learn how to . . .

✓ say the names of different meals: *la prima colazione (o la colazione), il pranzo, la cena*

✓ say what you eat and drink at each meal: *La cena è alle otto. Mangio della pasta. Bevo del latte.*

✓ say what there is and what there isn't: *C'è del pane. C'è della marmellata. Ci sono delle fragole. Non c'è burro/limonata/pane.*

Joelle parla di quello che mangia durante il giorno.

La mattina, per prima colazione, mangio dei biscotti o del pane tostato. Il week-end mangio un cornetto con burro e marmellata. Mi piace la marmellata alla fragola. La mattina bevo un succo d'arancia o del latte, dipende.
A mezzogiorno, per pranzo alla mensa della scuola, prendo, per esempio, del pollo con delle patate fritte. Per dessert, mangio della frutta o delle paste. Di solito bevo del succo d'arancia o dell'acqua minerale. Nel pomeriggo, per merenda, mangio un panino e, se ho fame, anche una tavoletta di cioccolata. Alle quattro bevo un tè al limone o una Coca.
La sera, per cena, mangio della pasta, poi qualche volta del pesce o della carne con della verdura. Mia nonna preferisce il vino ma io bevo sempre l'acqua.

1 🔘 Leggi la lettera, poi ascolta il Cd. Guarda le foto.
Che cos'è? Il pranzo? La merenda?
La prima colazione? La cena?

2a Vero o falso?

  a Joelle mangia del pane tostato per colazione.
  b Beve il caffè per prima colazione.
  c Joelle mangia a casa a mezzogiorno.
  d Fa merenda alle quattro.
  e La sera mangia della zuppa.
  f Joelle non mangia il pesce.
  g La sera, a cena, beve la Coca-Cola.

b Correggi le frasi che sono false.

3 Scrivi quello che mangi tu per prima
colazione, per pranzo, alle quattro e per cena.

4 👥 Intervista: Cosa mangia la classe per prima
colazione, a mezzogiorno, la sera, alle quattro? Fa delle
domande e scrivi le risposte.

> Cosa mangi
> per prima
> colazione?
> **A**

> Mangio dei
> cereali e del pane
> tostato.
> **B**

> Cosa bevi?
> **A**

> Bevo del tè.
> **B**

Espressioni chiave

La mattina	per prima colazione	mangio	dei biscotti
			del pane tostato
			dei cereali
A mezzogiorno	per pranzo	prendo	del pollo
Nel pomeriggio	per merenda	mangio	dei panini
Alle quattro		bevo	del tè
La sera	per cena		dell'acqua minerale

Occhio su...

del, della, dell', delle, dei, dello, degli e il negativo

C'è del formaggio.

Non c'è formaggio.

C'è della frutta.

Non c'è frutta.

Ci sono delle patatine.

Non ci sono patatine.

ATTENZIONE! *del, della, dell', delle, dei, dello* e *degli*. Nelle frasi negative, non ci sono.

5 Scrivi le frasi al negativo.

a C'è del prosciutto.
b Ci sono degli spinaci.
c Vorrei della frutta.
d Mangio dei cornetti.

152

Non ci sono patatine!

6 Trova le differenze.

Esempio
Nel disegno numero uno c'è del pane.
Nel disegno numero due non c'è pane.

Guida pratica

Hai delle parole da imparare a memoria?

a) Scrivi una lista delle parole su un foglio di carta. Scrivi una seconda lista a memoria. Fa una verifica con la prima lista.

b) Registra la lista su una cassetta. Ascolta la cassetta più volte.

c) Fa delle domande al tuo compagno/alla tua compagna di classe. Poi rispondi alle domande.

Facciamo la spesa

You will learn how to . . .

✔ say what you want to buy: *Vado a comprare delle patatine.*
✔ describe quantities and packaging: *un pacchetto di (zucchero),
una bottiglia di (limonata), un chilo di (pomodori), un etto di
(prosciutto), una lattina di (aranciata)*

1 Ascolta e completa il dialogo.

Esempio 1 – un pacchetto di patatine

un pezzo di pizza	un etto di (100 grammi di) formaggio
un chilo di pomodori	una lattina d'aranciata
una bottiglia di Coca-Cola	un pacchetto di biscotti

In più

Chiudi il libro e
scrivi una lista
delle cose da
comprare per
Joelle e i suoi
amici.

2 Che cos'è?
Guarda le Espressioni chiave.

3 Decidi di fare un picnic. Di' al tuo
compagno/alla tua compagna di classe cosa vai
a comprare. Lui/Lei scrive la lista per te.
*Esempio Vado a comprare una grande bottiglia di
limonata, tre pacchetti di biscotti . . .*

Facciamo un picnic?

Sì, ottima
idea! Vado
comprare 1 e

Vado a
comprare 3 e 4.

Ed io vado a
comprare 5 e 6.

Espressioni chiave

un pacchetto	di biscotti/di zucchero/ di patatine/di spaghetti
una bottiglia	di limonata/d'acqua minerale/ di Coca-Cola
due fette	di prosciutto/di salame
una scatoletta	di piselli/di tonno
una lattina	d'aranciata
un etto (100 grammi)	di ricotta
un chilo	di banane
mezzo chilo	di pomodori
un pezzo	di pizza/di formaggio

Occhio su... andare a . . .

andare	a	infinito	
↓	↓	↓	
Vado	a	comprare	una tavoletta di cioccolato.
Vai	a	guardare	la televisione.

4 Completa le frasi con i verbi della lista.

a A mezzogiorno io _____ a _____ un gelato alla gelateria
b Stasera mio fratello _____ a _____ una pizza con gli ami
c Joelle, quando _____ a _____ a tennis?
d La domenica io _____ a _____ la partita allo stadio.
e La signora _____ a _____ una passeggiata ogni sera.

giocare	vai	mangiare
vado	comprare	vedere
va	vado	va
fare		

Al supermercato

Joelle:	Hai delle mele?
Luca:	No. Prendo un chilo di mele?
Joelle:	SÌ.
Luca:	Quanto costano?
Joelle:	Costano tre euro al chilo. Va bene?
Luca:	SÌ . . . E i biscotti? Hai dei biscotti?
Joelle:	No! Sono là in fondo . . . Quanto costa un pacchetto?
Luca:	Costa due euro e venticinque al pacchetto.
Joelle:	Allora ne prendiamo quattro pacchetti . . . Costano tredici euro in tutto, no?

Oh no!

Tredici euro in tutto, per favore.

C'è un problema?

Guida pratica

Per fare una domanda:

- Cambia l'intonazione:

Ti piace il gelato.   Ti piace il gelato?

6 È una domanda? Ascolta bene l'intonazione e decidi.

- Usa gli interrogativi *quando, quanto, come, chi, che, cosa, quale*, ecc.
  Quanti biscotti ci sono?
  Com'è il ristorante?
  Cosa si mangia stasera?

153

7 Copia e completa le frasi con la parola giusta.

a ____ vuoi bere?
b ____ soldi hai?
c ____ fai la pizza?
d ____ andiamo al supermercato, oggi o domani?
e ____ preferisci: un gelato o una pasta?

5a Leggi e ascolta i dialoghi.

b Fate le parti di Joelle, di Luca e della cassiera.

c C'è un problema. Qual è? Inventa la fine del dialogo alla cassa.

Per tenerti Informato

L'euro
Dal primo gennaio 2002 la lira italiana non esiste più e al suo posto c'è l'euro. Una faccia delle monete dell'euro è comune per tutte le nazioni partecipanti. L'altra faccia ha un simbolo scelto dalle varie nazioni. Per esempio, la moneta da un euro italiano ha un famoso disegno di Leonardo da Vinci. L'abbreviazione dell'euro è "EUR". Ci sono banconote da cinque, dieci, venti, cinquanta, cento, duecento e cinquecento euro.

Quanto costa?

You will learn how to . . .

✓ count up to 100
✓ ask how much something costs: *Quanto costa (la pizza)?*
   Quanto costano (le fragole)?
✓ say how much something costs: *La pizza costa due euro al pezzo.*
   Le fragole costano sette euro e cinquanta al chilo.

Conta ancora!

40 quaranta
41 quarantuno, 42 quarantadue, 43 quarantatré . . .
48 quarantotto . . .
50 cinquanta
51 cinquantuno, 52 cinquantadue, 53 cinquantatré . . .
58 cinquantotto . . .
60 sessanta
61 sessantuno, 62 sessantadue, 63 cinquantatré . . .
68 sessantotto . . .

Grandi sconti!

YOGURT MAGRO
VITASNELLA gr. 125x8
€3,33
20%
€2,50

TONNO AL NATURALE
RIO MARE sgocciolato
gr. 80x7
Al kg. €8,45
€4,75
€3,56
25%

PROSCIUTTO COTTO
cubetti MONTORSI
gr. 120
Al kg. €10,25
€1,80
€1,23
35%

30%
UOVA CESTINO X 18
PODERE DEL SOLE
€2,80
€1,96

ACQUA
ROCCHETTA brio blu/
naturale cl. 50x6
Al lt. €0,45
€1,67
€1,35
19%

1 Ad alta voce, conta le pecore!

70 settanta
71 settantuno, 72 settantadue, 73 settantatré . . . 78 settantotto . . .
80 ottanta
81 ottantuno, 82 ottantadue, 83 ottantatré . . . 88 ottantotto . . .
90 novanta
91 novantuno, 92, novantadue, 93 novantatré . . . 98 novantotto . . .
100 cento

3 Leggi e ascolta la pubblicità.
Il prezzo è giusto, sì o no?

acqua minerale		tonno
prosciutto	uova	yogurt

4 **A**, domanda i prezzi. **B**, dà i prezzi.

Quanto costa
il prosciutto?
A

Costa un euro
e ventitré.
B

2 Ad alta voce, leggi i numeri.

a **66**   b **76**   c **49**   d **53**   e **100**   f **61**   g **77**   h **88**   i **92**   l **55**

Intermezzo

Romeo il gatto matto

Lo sai . . . ?

✔	chiedere e offrire/accettare o rifiutare qualcosa da bere o da mangiare	*Ho sete. Ho fame.* *Vorrei una Coca, una limonata, del formaggio, delle uova, dello yogurt, della marmellata, del prosciutto, degli spinaci, dell'insalata . . .* *Tu cosa vuoi? Un succo d'arancia per favore. Grazie.* *No grazie, preferisco . . .*
✔	dire cosa c'è e non c'è /cosa vai a comprare	*C'è del pane, della ricotta, delle mele . . . Non c'è burro, limonata . . .* *Non ci sono spaghetti. Vado a comprare delle fragole.*
✔	parlare dei pasti	*A mezzogiorno mangio della frutta. Alle quattro mangio dei biscotti.* *La sera mangio della carne con della verdura e bevo dell'acqua.*
✔	parlare delle quantità	*un chilo di mele, un etto (100 grammi) di formaggio, quattro pezzi di pizza, tre fette di salame, un pacchetto di biscotti, una bottiglia di Coca, una scatoletta di tonno*
✔	chiedere quanto costa/quanto costano e dare il prezzo	*Quanto costa la pizza? Quanto costano i pomodori?* *Costa cinque euro. Costano tre euro al chilo/al pacchetto.*
✔	contare fino a 100	*cinquanta, cinquantuno, cinquantadue, cinquantatré . . .*

E la grammatica?

✔	del, della, dell', dello, dei, delle, degli	*del formaggio, della marmellata, dell'acqua minerale, dell'agnello, dello zucchero, dei pomodori, delle fragole, degli spinaci*
✔	non c'è/non ci sono	*Non c'è formaggio. Non ci sono mele.*

Tutti insieme

Organizza un pranzo all'italiana a scuola.

1 Scrivi il menù.

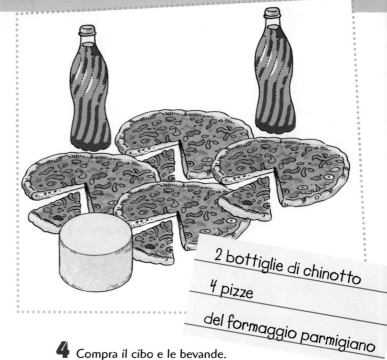

Un pranzo all'italiana
Mercoledì 19 febbraio

Da mangiare:
delle pizze
del pane e Nutella
del formaggio
delle olive

Da bere:
del chinotto
dell'acqua minerale
del succo d'arancia
della limonata

2 bottiglie di chinotto
4 pizze
del formaggio parmigiano

2 Disegna un manifesto. Non dimenticare:
— la data
— l'ora
— l'aula
— cosa c'è da mangiare e da bere
— i divertimenti (musica, giochi, video)

Pranzo all'italiana

Quando? — Mercoledì 19 agosto, ore 12 e 45

Dove? — Aula ML8

Cosa c'è da mangiare?

4 Compra il cibo e le bevande.
Prepara una lista dei pasti.

5 Decora l'aula.

Per esempio:
— Trova o disegna un poster dell'Italia
— Fa delle bandiere verdi, bianche e rosse.

6 Prepara dei divertimenti. Per esempio:
— dei Cd di musica italiana
— dei video italiani
— dei giochi in italiano

3 Scrivi un invito.

Sei invitato(a) al
PRANZO ALL'ITALIANA
Mercoledì 19 agosto
Alle ore 12 e 45
Nell'aula ML8
R.S.V.P. Posso/non posso venire.

E finalmente . . . Buon appetito a tutti!

Attività tutti insieme

Margherita: è lei la regina delle pizze

Quante pizze?
In Italia si consumano 56 milioni di pizze alla settimana, cioè quasi tre miliardi all'anno.

Quanto piacciono?
Al 71% della popolazione la pizza piace molto, al 18% abbastanza, al 6% poco e il 2% non ha opinione.

Quali pizze?
La "margherita" è in testa: ha il 38% dei gradimenti, davanti alla "quattro stagioni" con il 12%, a quella con verdure al 10% e a quella con il prosciutto all'8%.

Quante volte?
Il 62% della popolazione mangia la pizza una volta alla settimana, il 14% due volte, il 9% tre o quattro volte e l'11% mai.

Dove?
Il 33% degli italiani la consuma in pizzeria, il 27% la cucina a casa, il 28% la compra fuori e la mangia a casa, l'11% l'acquista surgelata.

Quante pizzerie?
Sono 22 mila fra locali classici, take-away e consegna a domicilio, con ben 110 mila addetti. Il fatturato globale annuo è di quasi dieci miliardi di euro.

Delle questioni di gusto . . .

Finalmente! Finita la dieta!

Ci sono molti turisti sulle spiagge . . .

Per l'85% degli italiani il panettone e il pandoro sono i principali dolci italiani del Natale.

Per un italiano su tre (32%) il cappuccino e la brioche al bar rimangono una vera tradizione per prima colazione.

Gli squali possono stare sei settimane senza mangiare.

Ripasso Unità 4, 5, 6

Guarda le sezioni "Lo sai . . . ?"
alle pagine 59, 71 e 83.

Facciamo la spesa!

1 Scrivi la lista della spesa. Unisci le parole dei due
elenchi: le quantità e i cibi.

Esempio *Un pacchetto di patatine . . .*

un pacchetto di	prosciutto
una fetta di	patatine
una scatoletta di	pizza
un chilo di	formaggio
una bottiglia di	tonno
un pezzo di	mele
un etto di	limonata

2a Metti in ordine il dialogo fra Luca e il
commesso.

Esempio *a, i . . .*

Il commesso	Luca
a Buongiorno, Luca! Cosa vuoi?	**f** Arrivederci, signore!
b Grazie. Ciao.	**h** Grazie. E vorrei anche del burro.
c Sono due euro e venti.	**i** Buongiorno, signore! Vorrei del pane, per favore.
e Ecco il pane.	**l** Va bene. Allora, quanto costa?
d Mi dispiace, non ho burro.	**g** Ecco, due euro e venti.

2b Ascolta il Cd per la verifica.

3 Tocca a voi! Adattate il dialogo
dell'attività 2.

Ritratti di una famiglia

*Ecco le mie sorelle, mia madre, mia nonna, mia zia e
le mie cugine! Patrizia Paziente, Serena Seria, Agata
Aggressiva, Corinna Coraggiosa, Delia Diligente,
Teresa Timida e Dina Divertente.*

4a Ascolta Susanna Simpatica. Metti le
descrizioni in ordine.

Esempio *1 – c*

b Ascolta di nuovo. Chi è?

Esempio *1 – È sua sorella, Corinna
Coraggiosa.*

c Ascolta di nuovo. Prendi degli appunti e
scrivi la descrizione.

Esempio *Una sorella di Susanna Simpatica si
chiama Corinna Coraggiosa. Ha 14 anni. È
piccola e grassa. È castana e ha i capelli lunghi e
ricci.*

La casa del signor Strano

5 Che disordine! Dov'è . . . ?

> *Esempio* Dov'è lo skateboard? È nel gabinetto!
>
> Dov'è. . .?
>
> il gatto? il letto? il piatto? le bottiglie d'aranciata? la televisione? la lampada? il canestro? il telescopio? la chitarra? il prosciutto? lo skateboard? la libreria? il pane? il computer?

6 È strano, questo signor Strano! Scrivi dieci cose strane che fa.

> *Esempio* Dorme nella sua cantina. Osserva il cielo dalla sua cucina . . .

Katia su Internet

Ciao! Sono Katia. Sono albanese e vivo a Torino. Abito in un appartamento in città; ci sono tre camere da letto, una cucina, un soggiorno e due bagni.

Mio fratello Aleksander ha 20 anni. È abbastanza alto, con i capelli castani e corti. Aleksander studia psicologia ed è molto sportivo. Aleksander dorme in camera da letto con l'altro fratello, Daniele.

Daniele ha 15 anni. È alto ed è un po' grasso. Non è molto diligente perché non gli piace fare i compiti, però è divertente e anche un po' matto!

Mia sorella Anisa ha otto anni. Ha i capelli lunghi, biondi e ricci. Lei è timida e seria. Anisa è molto diligente: le piace studiare e legge sempre.

Mio padre Samir è gentile, coraggioso e intelligente! Gli piace giocare a tennis.

Mia madre si chiama Monika, lei è alta e magra. È molto simpatica, paziente ed è sempre ottimista!

Ho una nonna in Albania, si chiama Rosalia. Abita con i miei zii e i miei cugini. Mia nonna è bassa e simpatica con i capelli lunghi, lisci e grigi. I suoi passatempi preferiti sono ascoltare la musica classica, cucinare e chiacchierare. Adoro mia nonna!

Adesso c'è il Ramadan. Facciamo la prima colazione alle cinque del mattino: pane, cereali, frutta e latte. Dopo niente prima di sera! È difficile! Ho molta sete e molta fame! Alle sei mangiamo il cuscus. Quello sì che mi piace! La mia famiglia è tradizionale ma è anche abbastanza moderna!

7a Leggi il messaggio di Katia. Leggi le domande. A quali domande risponde Katia? Scrivi le sue risposte.

a Dove vivi?

b Quante stanze ci sono a casa tua?

c Che cosa c'è nella tua camera?

d Cosa fai nella tua camera?

e Quante persone ci sono nella tua famiglia?

f Come si chiama tuo padre? E tua madre?

g Descrivi tua madre e tuo padre.

h Come si chiamano i tuoi fratelli e tua sorella?

i Quanti anni ha tua sorella? E i tuoi fratelli?

l Descrivi i tuoi fratelli e tua sorella.

m In questo periodo cosa mangi per colazione? E a mezzogiorno? E la sera?

b Immagina le risposte di Katia alle altre domande.

8 Tocca a te! Rispondi alle domande.

7 Come stai?

You will learn how to . . .

✓ name parts of the body: *La testa, le braccia, i piedi . . .*
✓ ask and say how you feel: *Come stai? Sto bene. Sto male.*
✓ understand some Italian body language

Il mostro di Frankenstein

1 Ascolta, leggi e ripeti.

Oooh, la mia testa!

Ahi, il mio collo!

Paolo, stai male?

No, sto bene! Sono il mostro di Frankenstein nella commedia a scuola!

Mamma, la mia pancia!

Aiuto, il mio braccio!

2a Ascolta e guarda i disegni. Ripeti.

b Copia e completa le frasi con le parole chiave a pagina 89.

3 Rispondi al tuo compagno/alla tua compagna di classe.

Come stai?

A

Sto male. . . . la mia testa! E tu, come stai?

C

Sto bene grazie. E tu?

B

D

Sto molto bene

1 — Sto male! La mia gamba!
2 — Oh, il mio _____!
3 — Ahi, la mia _____!
4 — Aiuto, le mie _____!
5 — Mamma, i miei _____!
6 — Oh, sto male! I miei _____!

In forma!

Il linguaggio dei gesti

Alza le spalle.

Allarga le braccia.

Metti un dito sotto un occhio.

Tocca la guancia con il dito e poi gira il dito.

Unisci le dita e scuoti la mano davanti a te.

4 Guarda le foto e indovina le espressioni.

Esempio A – Forte!

Occhio!   Buono!

Che dici?   Boh! Non lo so!

5 Leggi le istruzioni. Trova il nome di sei parti del corpo.

Esempio le spalle . . .

6 Con il tuo compagno/la tua compagna di classe, inventa altri gesti con le parti del corpo ed espressioni.

Esempio Scuoti il piede destro. Sei lento!

In più

Scrivi le istruzioni per il gioco "Romeo dice".

Esempio Romeo dice toccate la testa. Toccate il ginocchio.

Parole chiave

la mia	il mio	le mie	i miei
testa	piede	orecchie	occhi
mano	braccio	spalle	denti
gamba	collo		
schiena	dito		
pancia	ginocchio		
guancia	gomito		
bocca			

Guida pratica

Quando senti parlare in italiano e non capisci tutto, cosa fai? Semplice! Guarda i gesti (le mani, le braccia, ecc.) e le espressioni (gli occhi e la bocca). Aiuta molto!

Occhio su...

il plurale

la gamba → le gambe   l'orecchia → le orecchie

il piede → i piedi   l'occhio → gli occhi

- Come fare un plurale regolare? (Controlla a pagina 139.)

ATTENZIONE!

Ci sono anche dei plurali irregolari:

il dito → le dita

il braccio → le braccia

il ginocchio → le ginocchia

E un'eccezione:

la mano → le mani

140

Ho mal di . . . !

You will learn how to . . .

✓ ask what's wrong: *Ti senti male? Si sente male?*
✓ say where it hurts: *Ho mal di testa, di spalle, di pancia, di denti . . .*
✓ say what's wrong with you: *Non ho fame, ho voglia di dormire.*

In farmacia

A

A scuola

B

1
– Ho mal di denti!
– Si sente male, signore?
– Oh sì, molto, molto male!

2
– Non mangi, amore?
– No, non ho fame. Ho mal di pancia.

3
– Aii, la mia testa! Ho mal di testa!
– Come sei sbadato! Perché non fai più attenzione!

A casa

C

Dal dottore

D

4
– Si sente male?
– Ho mal di spalle.
– Fa dello sport?
– Sì, molto.
– Niente sport per Lei questa settimana!

1a 🔘 Ascolta. Unisci i dialoghi ai disegni.

b 🔘 Ascolta di nuovo. Ripeti bene l'intonazione.

2 Gioco di memoria. Ti senti male?

Ho mal di testa.
A

Ho mal di testa, mal di pancia e mal di denti.
C

Ho mal di testa e mal di pancia.
B

3 Il mostro di Frankenstein va dal dottore.
Immagina la conversazione.
Esempio
Il dottore: Buongiorno. Come si chiama?
Il mostro: Sono il mostro di Frankenstein.
Il dottore: Si sente male?
Il mostro: Sì, ahi, ho mal di . . .

Occhio su . . .

le preposizioni *in* e *da*

ATTENZIONE!

Si usa **in** senza l'articolo con queste parole:
in centro	in piazza	in bagno	in cucina
in banca	in palestra	in farmacia	
in chiesa	in piscina	in campagna	

Si usa **da** con l'articolo con queste persone:
dal dottore	dalla parrucchiera	
dal dentista	dal meccanico	dalla farmacista

144, 145

4a Ascolta. Copia e completa le frasi.

b Ascolta di nuovo e ripeti.

Biancaneve

Oh, che bella mela . . . mmm . . . ho fame . . . Aiuto! ho mal di 1 _____. Oh, come sto male!

La bella addormentata nel bosco

Espressioni chiave

Ho mal	di denti di gola di pancia di spalle di testa
Ho	fame
Non ho	sete sonno caldo freddo voglia di dormire

Aii! Il mio 2 _____. Oh, ho freddo e ahhhhhh, ho sonno, ho voglia di dormire . . .

Il conte Dracula

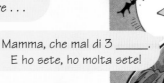

Mamma, che mal di 3 _____. E ho sete, ho molta sete!

5 Scegli uno dei personaggi dall'attività numero 4. La classe indovina chi sei.

Il lupo cattivo

Oh! Il mio dito. Ho freddo e ho voglia di dormire.

A

Sei la bella addormentata nel bosco.

B

Ho mal di 4 _____, ho caldo e non ho fame . . . accidenti!

6 Immagina i quattro personaggi dal dottore. Inventa le conversazioni.

Come si chiama?

A

Mi chiamo Biancaneve.

B

Si sente male?

A

Oh sì. Ho mal di pancia. Sto molto male!

B

Guida pratica

Tu o Lei?

Usa il *tu* con la famiglia e con gli amici.
Usa il *Lei* con gli adulti (nei negozi, a scuola, ecc.).

7 Nelle conversazioni 1–4 a pagina 90, perché c'è il *tu* e perché c'è il *Lei*?

In più

Scrivi o registra le conversazioni.

146

Mi sento in forma

You will learn how to . . .

say you feel in shape: *Mi sento in forma.*
discuss what's good/bad for your health: *Seguo una dieta sana, fa bene alla salute. Non dormo abbastanza, fa male alla salute.*
say you understand/don't understand: *Capisco. Non capisco.*

> Non capisco! Mi sento in forma, ma non ho fame e dimagrisco. Aiuto!

Fa bene o fa male alla salute?

a **Sto troppo al sole.**

b **Seguo una dieta sana.**

c **Esco tutte le sere.**

d **Bevo molta acqua.**

e **Faccio sport.**

f **Dimagrisco troppo.**

g **Finisco la verdura.**

h **Non dormo abbastanza.**

1 Unisci le frasi ai disegni. Ascolta il Cd per la verifica.

Esempio 1 – b

2 Scrivi le frasi per ogni disegno. Ascolta di nuovo il Cd.

Esempio 1 – Seguo una dieta sana, fa bene alla salute.

3 **A**, fa delle domande al tuo compagno/alla tua compagna di classe. **B**, rispondi e di', se fa bene o fa male alla salute.

> Segui una dieta sana?
> **A**

> Sì, seguo una dieta sana. Fa bene alla salute. E tu? Dormi abbastanza?
> **B**

4a Ascolta la conversazione tra Joelle e Paolo.

Leggi le frasi. Sono vere o false?
a Paolo ha fame ma dimagrisce.
b Non segue una dieta sana.
c Finisce sempre la verdura.
d Quando ha sonno, dorme.
e Esce tutte le sere.
f Non fa sport a scuola.
g Preferisce l'aranciata.

b Correggi le frasi che sono false.
***Esempio** Paolo segue una dieta sana.*

 i verbi in -ire

Guarda questo verbo:

FINIRE

io finisco	noi finiamo
tu finisci	voi finite
lei/lui finisce	loro finiscono

Ora guarda questo verbo:

DORMIRE

io dormo	noi dormiamo
tu dormi	voi dormite
lei/lui dorme	loro dormono

Sono due verbi in *-ire*. Quali sono le differenze?
Altri verbi come *finire* sono *capire, preferire, dimagrire* e *pulire*.
Altri verbi come *dormire* sono *seguire, aprire, servire* e *partire*.

5 Completa e copia i verbi.

a Ma che dici? Io non cap_____.
b Loro prefer_____ uscire tutte le sere.
c Se Joelle segue una dieta sana, lei non dimagr_____.
d Loro fin_____ sempre la verdura. Sono brave!
e Io cap_____ che hai voglia di dormire. Anch'io ho sonno.
f Tu fin_____ dal dottore se stai troppo al sole.
g Quando Paolo ha sete prefer_____ l'acqua.
h Tu dimagr_____ troppo. Non hai mai fame.

 149

 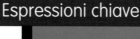

Mi sento in forma.
Fa bene alla salute.
Seguo una dieta sana.
Finisco la verdura.
Faccio sport.
Bevo molta acqua.
Non fa bene alla salute.
Dimagrisco troppo.
Esco tutte le sere.
Sto troppo al sole.
Non dormo abbastanza.
Capisco.
Non capisco.

-iscono -isco -isce -isci -isci -isci -iscono -isco -isce

Che sport fai?

7

You will learn how to . . .

- ask and say what sports are available: *Che sport fanno a Milano? Fanno calcio, pallacanestro, ciclismo . . .*
- ask what sports people do: *Che sport fai? Che sport fate?*
- say what sports you do: *Faccio tiro con l'arco. Giochiamo a calcio.*

Lo sport a Milano

1 il calcio
2 il ciclismo
3 il tennis
4 il tiro con l'arco
5 l'equitazione
6 l'atletica
7 l'hockey su ghiaccio
8 la pallacanestro

Espressioni chiave

Che sport fanno a Milano?
Giocano a calcio, a pallacanstro . . .
Fanno equitazione, atletica . . .
Che sport fai?
Faccio tiro con l'arco, gioco a tennis, faccio atletica, gioco a calcio . . .

Guida pratica

Prima di ascoltare il Cd:
- leggi bene la domanda
- guarda bene tutte le fotografie
- scrivi i nomi degli sport che conosci
- pensa ad altri sport

1 Guarda le foto ed ascolta. Che sport fanno a Milano?

Esempio 1, 2, . . .

2 Che sport fanno nella tua città/nel tuo paese? Fa un elenco.

Esempio In piscina fanno nuoto. Allo stadio giocano a calcio.

3 Il gioco del vero o falso

Che sport fai?
A

Faccio equitazione.
B

È falso!
A

No! È vero!
B

Per tenerti Informato

Il calcio a Milano: Il Milan e l'Inter

Che sport fanno a Milano? Tanti! Ma tutti impazziscono per il calcio. Ci sono due grandi squadre di calcio milanesi: il Milan e l'Inter. I colori del Milan sono il rosso e il nero, mentre i colori dell'Inter sono il nero e l'azzurro. Quando giocano insieme allo stadio di San Siro a Milano, si dice che fanno il "derby".

I giocatori di calcio colpiscono il pallone con la testa, le spalle, le gambe e i piedi. Solo il portiere può toccare il pallone con le mani.

Lo sport a scuola

Una classe della Scuola media "L. da Vinci" corrisponde con una scuola australiana su Internet. Ecco un messaggio sullo sport a scuola.

Salve a tutti!

Grazie per la vostra lettera. Voi chiedete, "Che sport fate a scuola?"

Il lunedì abbiamo educazione fisica. Andiamo al campo sportivo. Qui facciamo atletica, giochiamo a calcio ed a baseball. Il mercoledì andiamo in palestra e giochiamo a pallacanestro e facciamo aerobica e yoga. I ragazzi impazziscono per il calcio e il baseball mentre le ragazze preferiscono l'aerobica e lo yoga.

Anche voi avete educazione fisica? Andate in piscina o al campo sportivo? Che sport fate a scuola? Che sport preferite?

A mezzogiorno mangiamo alla mensa. Voi avete una mensa? Che cosa mangiate? Che piatti preferite? Diteci quali sono i vostri menù!

A presto!

La seconda C

4 Leggi il messaggio. Uno studente/Una studentessa della Scuola media "L. da Vinci" dice così: sì o no?
a "Il lunedì gioco a baseball."
b "La mia amica preferisce il calcio."
c "Vado al campo sportivo e faccio atletica."
d "Mi piace giocare a pallavolo a scuola."

5 Leggi di nuovo le frasi sottolineate. Adatta queste frasi per la tua classe.
Esempio Il martedì abbiamo educazione fisica. Andiamo in piscina e facciamo nuoto.

In più

Scrivi le conversazioni.

a Scrivi una e-mail a un tuo amico/una tua amica sullo sport a scuola. Fa anche delle domande.
b Scrivi una risposta alla e-mail.

Occhio su...
i verbi irregolari: *uscire* e *dire*

USCIRE

Esco stasera.	Forza! Usciamo tutti insieme!
Esci con me?	Uscite voi due?
Esce con un amico.	Escono dalla piscina.

6 Unisci le parole blu con le parole nere.

io   lei   noi   tu   loro   voi   lui

escono   uscite   esco   esci   usciamo   esce

Esempio io esco.

DIRE

Dico sempre la verità.
Che dici?
Dice che la sua amica preferisce il calcio.
Diciamo che sport facciamo.
Dite se seguite la pallacanestro.
Dicono che giocano domani.

7 Unisci le parole rosse con le parole nere.
Esempio io dico.

io   lei   noi   tu   loro   voi   lui

diciamo   dicono   dico   dici   dite   dice

150

Lo sport per te

1 **A**, fa le domande e consiglia uno sport a **B**. Poi cambiate i ruoli.

Esempio

A: Sei fanatico dello sport?
B: No.
A: Ti piace l'attività fisica?
B: No.
A: Allora, fai yoga. È rilassante.

Guida pratica

Attenzione! Nel dizionario una parola può avere più di un significato.

Per esempio: *Mi sento in forma.*
forma =

a form   **b** shape   **c** baking dish

2 Scegli la traduzione giusta in questo caso.

3 *Sei fanatico dello sport?*

Cerca *fanatico* nel tuo dizionario. Qual è la traduzione giusta in questo caso?

Si dice così!

I *suoni* **go, ga, gi, ge**

4 Ascolta e ripeti.

gomiti	gara	ginocchia
gelato	gente	genitori
ginnastica	yoga	girate
gesti	gambe	giocate
gatto	gola	golf

Sei fanatico/fanatica dello sport?

Sì   No

Ti piace lo sport attivo?   Ti piace l'attività fisica?

Sì   No   Sì   No

L'atletica, il ciclismo o lo squash. Ma attenzione! Sono sport per i super in forma!

Sei troppo grasso/grassa?

Sì   No

Il golf o lo yoga. Sono rilassanti!

Il ping-pong, il tiro con l'arco o il nuoto. Sono sport meno faticosi!

Sei un po' magro/magra? L'aerobica o il culturismo. Sono sport ottimi per i muscoli!

Niente dieta! Il jogging o la ginnastica. Sono sport eccellenti per stare in forma!

Romeo il gatto matto

Lo sai . . . ?

✔ nominare le parti del corpo	la testa, le braccia, i piedi, le orecchie, gli occhi, le mani, le spalle, i denti, le gambe, il collo, la schiena, le dita, la pancia, le ginocchia, le guance, la bocca
✔ chiedere e dire come ti senti	Come stai? Come sta? Sto bene. Sto male. Come ti senti? Come si sente? Ho mal di testa, di spalle, di pancia, di denti . . . Non ho fame. Ho sonno. Ho voglia di dormire. Mi sento in forma.
✔ dire cosa fa bene o fa male alla salute	Seguo una dieta sana, bevo molta acqua, faccio sport, finisco la verdura . . . Fa bene alla salute. Non dormo abbastanza, esco tutte le sere, dimagrisco troppo . . . Fa male alla salute.
✔ chiedere e dire gli sport che si fanno	Che sport fanno a Milano? Fanno calcio, pallacanestro, ciclismo . . . Che sport fai? Che sport fate? Faccio tiro con l'arco. Giochiamo a calcio.

E la grammatica?

✔ il plurale	la mano → le mani il braccio → le braccia il ginocchio → le ginocchia
✔ le preposizioni	in, da
✔ i verbi in -ire	finisco, finisci . . . dormo, dormi . . .
✔ i verbi irregolari	uscire, dire

Tutti insieme

Partecipa alla campagna pubblicitaria per stare in forma!

1 Fa un manifesto sullo sport. Trova una foto (o fa un disegno) e scrivi uno slogan.

Io? Preferisco lo sci!

Non ti senti in forma? Gioca a golf!

2 Inventa il menù della salute. Scrivi un menù:

a per la mensa scolastica
b per il pranzo portato da casa*

Il menù della salute

- un panino con prosciutto cotto e pomodori
- del formaggio
- una mela e un kiwi
- un succo di frutta

3 Inventa una cassetta della salute. Scrivi delle istruzioni, trova una musica adatta, registra. Scegli:

a per il relax

Rilassa tutto il corpo . . . rilassa tutti i muscoli . . . la testa, il collo, le braccia . . .

ZZZZ

b per la ginnastica

Uno, due, su le gambe!
Uno, due, giù le gambe!

4 Disegna dei graffiti su come stare in forma. Attaccali nella tua aula.

Dormi almeno otto ore!

Se sei intelligente, segui una dieta sana!

Esci e fa dello sport

*Per tenerti Informato

Gli studenti italiani non portano il "packed lunch" da casa. All'ora di pranzo, in Italia, gli studenti preferiscono mangiare alla mensa, se c'è, oppure a casa.

Attività tutti insieme

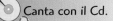 Canta con il Cd.

È fanatica dello sport!

Coro
È fanatica dello sport,
Sì, sì, fanatica dello sport!

1
Quando mangio un panino,
Seduto al tavolo in cucina,
La mamma mi viene lì vicino
E dice, "Vieni con me in piscina?"

Coro

2
Ogni giorno alle dieci,
esce per andare in palestra,
in sella alla sua vecchia bici,
la guardo dalla mia finestra.

Coro

3
Gioca a calcio,
Fa tiro con l'arco,
Non ha mai il mal di testa,
Fa aerobica nel parco,
A vederla è una festa!

Coro

4
Poi c'è lo yoga, il culturismo,
Il karatè e il taekwondo.
È una campionessa di ciclismo
La miglior mamma del mondo!

Coro

Si dice così!

Ha le mani bucate. (Spende tutti i suoi soldi.)

È una ragazza in gamba. (È molto brava in tutto.)

Ha il cuore in gola. (Ha molta paura.)

Uno sport nazionale: le bocce

Un altro sport che gli italiani amano molto sono le bocce. Ha origini antiche ed è un gioco molto semplice. Nelle città ci sono i campi da bocce ma si gioca anche in giardino, sulla spiaggia e in campagna. Se hai occhi buoni, braccia forti e mani ferme, puoi diventare anche tu un campione di bocce!

Cosa vuoi fare questo fine settimana?

Un fine settimana a Milano

You will learn how to . . .

✔ ask what someone wants to do on the weekend: *Che cosa vuoi fare questo fine settimana? Cosa volete fare questo week-end?*

✔ say what your plans are: *Questo fine settimana faccio i compiti, voglio guardare il calcio alla Tv, voglio dormire .*

> Non voglio uscire questo fine settimana. Faccio i compiti.

> Che cosa volete fare questo week-end?

> Boh! Non lo so.

> Voglio guardare il calcio alla Tv.

> Sì, d'accordo. È un'idea fantastica! Andiamo!

> E tu che cosa vuoi fare? Vuoi uscire?

> Non lo so. Tu Luca non lo sai . . . Allora, andiamo allo stadio di San Siro domenica a vedere la partita di calcio?

> Cosa?! Andate allo stadio? Allora vogliamo andare anche noi!

1 Leggi e ascolta la conversazione.

2 Discuti con il tuo compagno/la tua compagna di classe.

> Che cosa vuoi fare questo week-end?

> Voglio andare a trovare i miei nonni. E tu?

> Voglio guardare il calcio alla televisione.

 A

 B

 A

Occhio su...

volere

voi volete

io voglio

(verbi all'infinito)
andare
fare
telefonare
dormire
ecc.

loro vogliono

lui/lei vuole

tu vuoi

noi vogliamo

3 Copia e completa con la forma corretta di *volere*.

a Luca, _____ vedere un film sabato?

b Io _____ dormire fino a tardi domenica.

c I ragazzi _____ fare un picnic questo fine settimana.

d Voi _____ mangiare una pizza stasera?

e Noi _____ andare a trovare gli zii sabato mattina.

f Joelle _____ telefonare alla mamma in Australia.

4 👤 Leggi di nuovo la conversazione a pagina 100 e fa un elenco degli esempi di *volere* con l'infinito.

50

spressioni chiave

| Che cosa | { | vuoi fare | questo week-end? |
| | | volete fare | sabato mattina/pomeriggio/sera? |

Voglio andare a trovare i miei nonni.

Voglio guardare il calcio alla televisione.

Voglio dormire.   Faccio le spese.

Faccio i compiti.   Non lo so.

Non voglio uscire.

5 💿 Antonio telefona a Joelle.
Guarda l'agenda e rispondi per Joelle.

Per tenerti informato

Oggi ci sono tante parole e espressioni inglesi che fanno parte della lingua italiana. Quindi esistono una forma inglese e una forma italiana di molte parole. Per esempio:

il fine settimana = il week-end

il motorino = lo scooter

la musica leggera = la musica pop

la posta elettronica = l'e-mail

la scampagnata = il picnic

6 Scrivi i tuoi piani per il week-end.
Dà tanti dettagli (giorno, ora, ecc.) e scrivi anche le tue opinioni.

Magnifico!   Noioso!   Niente di speciale!   Divertente!

7 👤 Confronta i tuoi piani per il fine settimana con quelli del tuo compagno/della tua com pagna di classe.

Cosa vuoi fare sabato mattina?
A

Faccio le spese. E tu?
B

Io voglio andare in piscina. E sabato pomeriggio?
A

In più

Descrivi il tuo week-end ideale e quello dei tuoi genitori.

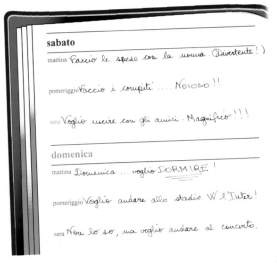

sabato

mattina Faccio le spese con la nonna. (Divertente!)

pomeriggio Faccio i compiti .... Noioso!!

sera Voglio uscire con gli amici. Magnifico!!!

domenica

mattina Domenica ... voglio DORMIRE!

pomeriggio Voglio andare allo stadio. W l'Inter!

sera Non lo so, ma voglio andare al concerto.

Cosa c'è da fare qui?

8

You will learn how to . . .

✔ find out what's available in town: *Cosa c'è da fare qui a Milano?*
✔ say what you can do in town: *Puoi visitare un museo. Possiamo fare la spesa al mercato.*

Milano: Una città divertente!

Il Duomo

Un'enorme cattedrale gotica situata nel cuore di Milano. Vicino c'è anche il Museo del Duomo. Orario di apertura: 7.00–19.00; 9.30–12.30 e 15.00–18.00 (museo)

La Pinacoteca di Brera

La migliore collezione d'arte di Milano. Qui ci sono opere del Rinascimento e anche opere dei più famosi artisti moderni italiani.
Orario di apertura: 8.30–19.15, da mar. a dom. (lun. chiuso)

I navigli

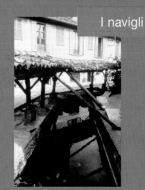

Una serie di canali disegnati da Leonardo da Vinci. Oggi nella zona dei navigli ci sono tanti bar, ristoranti, negozi e mercati all'aperto. Ogni sabato c'è un mercato lungo la Darsena, il vecchio porto.

Il Teatro alla Scala

Il Teatro alla Scala è uno dei più prestigiosi teatri lirici del mondo. Per vedere la storia del teatro, dei compositori e dei cantanti, c'è anche il Museo Teatrale alla Scala.
Orario di apertura: chiusi per restauri

L'Idroscalo

Chiamato "la spiaggia di Milano", è qui che tanti milanesi fanno il bagno in estate. All'Idroscalo c'è un centro sportivo molto importante.
Orario di apertura: 12.00–24.00; sab. e dom. 10.00–20.00 (centro sportivo)

Il Castello Sforzesco

Un castello medioevale che oggi ospita musei, gallerie d'arte e concerti.
Orario di apertura: 7.00–18.00; 7.00–19.00 (orario estivo)

. . . e molte altre cose ancora!

Le chiese, i palazzi storici, le gallerie d'arte, i negozi, i ristoranti, le pizzerie, i bar, i centri sportivi, i giardini, gli stilisti, le sfilate di moda, gli artisti, i mercati, i musei, i teatri e *L'ultima cena* di Leonardo da Vinci . . . Milano è meravigliosa!

1a 🔘 Guarda il poster e ascolta la conversazione su Milano.

b 👥 Cosa c'è da fare a Milano?

Cosa c'è da fare a Milano?

Puoi andare al Museo del Duomo.

A

Puoi visitare la Pinacoteca di Brera.

B

C

Espressioni chiave

Cosa c'è da fare a Milano?

Puoi visitare il museo, il Castello Sforzesco, il Duomo, le chiese, i palazzi storici, . . .

Possiamo andare in centro.

Posso fare la spesa al mercato.

Occhio su...

potere

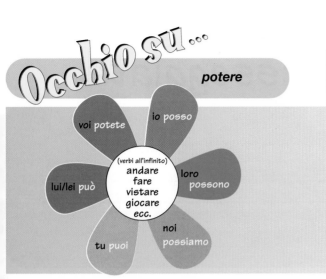

(verbi all'infinito)
andare
fare
vistare
giocare
ecc.

io posso
voi potete
lui/lei può
loro possono
tu puoi
noi possiamo

2 Copia e completa con la forma corretta di *potere*.

a I turisti _____ visitare la galleria d'arte al Castello Sforzesco alle dieci.

b Io _____ fare lo shopping al mercato domani.

c Elisa _____ ascoltare l'opera al Teatro alla Scala.

d Noi _____ giocare a tennis al centro sportivo.

e Joelle _____ vedere l'arte moderna alla Pinacoteca di Brera.

f Voi _____ andare al Museo del Duomo nel pomeriggio.

3 Completa il programma di quello che Alessia può fare in un giorno a Milano.

Esempio

Ore 8.00 – Posso visitare il Castello Sforzesco.
Ore 10.00 – ?
Ore 12.00 – Posso mangiare in una pizzeria alla ...
Ore 2.00 – ?
Ore 4.00 – ?
Ore 6.00 – ?

4 Scrivi cinque frasi vere o false su quello che puoi fare nella tua città o paese. La classe trova gli errori.

Posso visitare un museo.
A

È falso! Non c'è un museo qui.
B

5 **A**, scegli una città. **B**, fa delle domande per indovinare la città.

In questa città posso visitare un museo?
B

Un museo? Vediamo un po' ... sì, c'è un museo.
A

Posso andare alla spiaggia?
B

Alla spiaggia? Beh ... non puoi andare alla spiaggia perché non c'è!
A

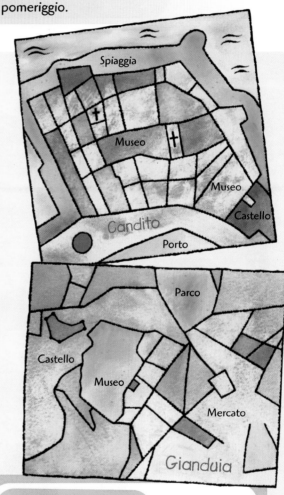

Guida pratica

Parla senza timore! Va piano!

• Ripeti la domanda o la frase:
C'è un castello qui a Milano?
C'è un castello qui a Milano? ... Beh, vediamo un po' ... sì, c'è il Castello Sforzesco.

• Per esitare, usa queste parole:
Allora ... Bene ... Beh ... Non so ...
Mah ... Ecco ... Infatti ... Insomma ...
Vediamo un po' ... Dunque ...

Si fa una passeggiata

You will learn how to . . .

✓ say what people can do in a city or town: *Si fa una passeggiata. Si visita il centro storico.*

✓ make suggestions for a visit: *Si va al mercato?*

✓ give an opinion about different activities: *D'accordo. Che buona idea! Fantastico! Non è molto interessante. Mah, non mi piace molto. Veramente non mi va.*

a Una passeggiata

b Una visita al Teatro alla Scala

c Il tram turistico

d I negozi di moda

e Il centro storico

f Il mercato

1 Cosa c'è da fare a Milano il fine settimana? Ascolta dei giovani milanesi. Numera le foto da 1 a 6.

Esempio 1 – b

2  Sondaggio. Cosa c'è da fare fa nella tua città oppure nel tuo paese il fine settimana?

Esempio Qui si fa la spesa al supermercato o si fa una passeggiata.

Espressioni chiave

Si {
fa una visita/una passeggiata
prende il tram turistico
visita il centro storico
va al mercato
}

Occhio su...
il *si* impersonale

In italiano	In inglese
A Milano **si prende** il tram per andare allo stadio.	In Milan **you take** the tram to go to the stadium.
Non si va al teatro lirico con la tuta.	**One does not go** the opera house in one's tracksuit.
Si fa una passeggiata.	?

52

3 Scegli le espressioni corrette.

si esce   si fa   si prende
si mangia   si visita   si va

a Quando gioca il Milan _____ sempre allo stadio di San Siro.

b Ecco cosa _____ domenica: un picnic e poi una passeggiata.

c Sabato _____ per andare a trovare gli zii.

d Qui _____ il risotto giallo, una specialità milanese.

e Ecco la stazione. A che ora _____ il treno per Milano?

f _____ prima il museo e poi il teatro. Va bene?

4a Ascolta. Michela e Matteo sono a Milano per il week-end. Scrivi i loro piani.

b Fa due elenchi dei suggerimenti che Michela accetta e rifiuta.

accetta	rifiuta
Ah sì!	Oh no!

Fantastico!

D'accordo.

Che bell'idea

Mah, non mi piace molto . . .

Che buona idea!

Non è molto interessante!

Veramente non mi va.

5 Un week-end a Milano.

A, scegli in segreto un'attività che vuoi fare. **B**, fa dei suggerimenti per indovinare l'attività di A.
A, accetta o rifiuta i suggerimenti di B.

Si fa una passeggiata? **B**

No, non è molto interessante! **A**

Si va al mercato? **B**

Sì d'accordo! Che buona idea! **A**

Occhio su... **A**
i verbi irregolari

6a Trova il verbo adatto e poi canta con il Cd.

andare — vado — va — andiamo — vai — andate — vanno

fare — faccio — facciamo — fate — fai — fa — fanno

1 Andare al cinema? Che bell'idea!

Io *vado* al cinema,

Tu _____ al cinema,   Voi _____ al cinema,
Lei _____ al cinema,   Loro _____ al cinema.
Noi _____ al cinema,
Si va al cinema . . . che bell'idea!

2 Fare una passeggiata, Che buon'idea!

Io _____ una passeggiata,
Tu _____ una passeggiata,
Lui _____ una passeggiata,
Noi _____ una passeggiata,
Voi _____ una passeggiata,
Loro _____ una passeggiata.
Si fa una passeggiata . . . che buon'idea!

b Ecco altri verbi irregolari. Scrivi dei nuovi versi. (Guarda a pagina 150.)

essere   avere   stare
venire   dare   dire   bere

Si deve girare a sinistra . . .

8

You will learn how to . . .

✔ ask for directions: *Scusi, dov'è il museo?*

✔ understand and give directions: *Si deve andare avanti . . . Si deve girare a sinistra . . .*

✔ speak politely: *Scusi signora/signore, dov'è il Palazzo Reale? Mille grazie. Arrivederci.*

Occhio su . . .

dovere

1 Copia e completa con la forma corretta di *dovere*.

a I miei amici _____ andare in centro.

b Io _____ prendere il tram per andare alla stazione.

c Elisa, _____ uscire presto stasera?

d Lui _____ tornare a casa prima delle undici.

e Noi _____ trovare l'ufficio turistico. È qui vicino?

f Voi _____ guardare la cartina per trovare il Palazzo Reale.

150 →

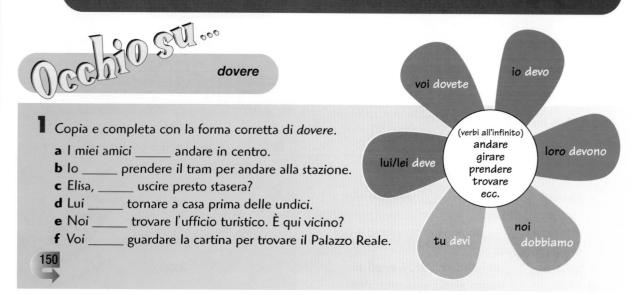

io devo
voi dovete
loro devono
lui/lei deve
tu devi
noi dobbiamo

(verbi all'infinito)
andare
girare
prendere
trovare
ecc.

Il centro storico di Milano — Città della moda e dell'industria italiana

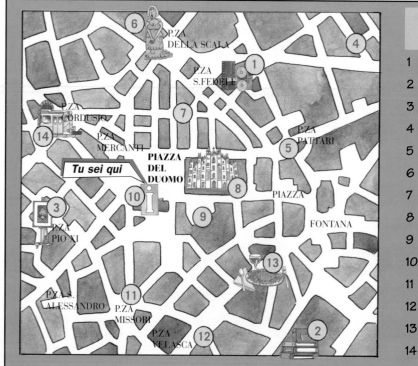

Tu sei qui

P.ZA DELLA SCALA
P.ZA S.FEDELE
P.ZA CORDUSIO
P.ZA MERCANTI
PIAZZA DEL DUOMO
P.ZA PATTARI
PIAZZA FONTANA
P.ZA PIO XI
P.ZA S. ALESSANDRO
P.ZA MISSORI
P.ZA VELASCA

Milano

1 Cinema San Fedele

2 Università

3 Pinacoteca Ambrosiana

4 La strada della moda

5 Museo del Duomo

6 Teatro alla Scala

7 Galleria Vittorio Emanuele II

8 Duomo

9 Palazzo Reale

10 Ufficio turistico

11 Hotel Cavalieri

12 Discoteca "Beau Geste"

13 Ristorante "Bella Madonnina"

14 Stazione della Metropolitana

Espressioni chiave

Dov'è il museo?

a sinistra

sempre diritto

Si deve prendere la prima a destra.

È di fronte a/al/alla . . .

a destra

Si deve prendere la seconda a sinistra.

È accanto a/al/alla . . .

2 Guarda la cartina di Milano e ascolta. Sei all'ufficio turistico. Chi va alla stazione della Metropolitana? Al cinema San Fedele? Al Museo del Duomo?

Esempio *Il numero 1 va a . . .*

3 Copia e completa le istruzioni.

a

> Si ▨▨▨▨ uscire dal Palazzo Reale. Si deve ▨▨▨▨ la prima ▨▨▨▨ destra e poi la prima a destra. ▨▨▨▨ deve andare sempre ▨▨▨▨ . Ed ecco il ristorante "Bella Madonnina".

b

> ▨▨▨▨ deve uscire dal Palazzo Reale. Si ▨▨▨▨ prendere la prima ▨▨▨▨ sinistra e poi ▨▨▨▨ seconda a sinis-tra. Si deve andare ▨▨▨▨ diritto. Ed ecco l'Hotel Cavalieri.

In più

Prepara delle indicazioni. La classe deve trovare il posto sulla cartina di Milano.

4a Ascolta. C'è un errore in ogni dialogo. Trova l'errore e correggi.

b Ascolta di nuovo. Chi è cortese, la ragazza o il ragazzo?

c Che espressioni usa per essere cortese?

Guida pratica

5 Scegli le espressioni di cortesia.

Signora!

Scusi, signore . . .

Ehi, signora!

Per favore, . . .

Ciao!

Arrivederci.

Mille grazie, signora.

6 Sei con la tua classe a Milano. Chiedi indicazioni al tuo/alla tua insegnante. Lui/Lei ti risponde solo se sei cortese!

Ehi! Dov'è il museo?

A

Scusi, professore/professoressa. Dov'è il museo, per favore?

B

Cantiamo!

You will learn how to . . .

✔ practise pronunciation and revise language

Un week-end a Milano

1
Che cosa si fa il week-end a Milano?
Si visita il Castello Sforzesco,
Si guarda il calcio allo stadio, è pazzesco!
Si va in discoteca o al bar al fresco,
Questo è un week-end a Milano.
Coro
Milano, Milano, è fantastica! } bis
A Milano si fa festa!
2
Che cosa si fa il week-end a Milano?
Si visita un palazzo aristocratico,
Si prende un tram nel centro storico,
All'Idroscalo si fa lo sport acquatico,
Questo è un week-end a Milano.

Coro
Milano, Milano, è geniale! } bis
A Milano la vita è ideale!
3
Che cosa si fa il week-end a Milano?
Si visita il Duomo e si fa la coda,
Si fa lo shopping nella città della moda,
Si va al bar per un panino e un Lemonsoda.
Questo è un week-end a Milano.
Coro
Milano, Milano, è fantastica!
A Milano si fa festa!
Allora, questo week-end a Milano?
Perché no?!

Un week-end a Brighton

Che cosa si fa il week-end a Brighton?

Si visita il Royal Pavillion,

Si . . .

Questo è un week-end a Brighton!

1 Ascolta e canta.

2 Scrivi un verso per una canzone sulla tua città
(o una città che conosci).

Si dice così!

Le vocali
È importante pronunciare bene le vocali in italiano. Il
suono delle vocali *a, i* ed *u* non cambia come succede in
inglese. Invece le vocali *e* ed *o* possono essere
pronunciate in modi diversi.

3a Ascolta i due tipi di suoni della lettera *e*.
Poi ripeti le parole.

| bello | vento | è | lento |
| sete | bene | pepe | vede |

b Ascolta i due tipi di suoni della lettera *o*.
Poi ripeti le parole.

| cosa | porta | donna | posta |
| mondo | molto | sole | dopo |

Le consonanti
È anche importante pronunciare bene le
consonanti in italiano. Si deve ricordare che la
pronuncia delle consonanti singole e delle
consonanti doppie è diversa.

4 Ascolta la differenza in pronuncia di queste
parole. Poi ripeti le parole.

sete – sette   tuta – tutta
ala – alla   sono – sonno
copia – coppia   casa – cassa
capello – cappello

Romeo il gatto matto

Lo sai . . . ?

✔ discutere i programmi per il week-end	*Che cosa vuoi/volete fare questo week-end? Non lo so. Voglio guardare il calcio alla Tv. Voglio dormire. Faccio i compiti.*
✔ fare dei suggerimenti	*Puoi visitare il museo. Possiamo fare la spesa al mercato. Posso visitare il Castello Sforzesco.*
✔ proporre di uscire, accettare o rifiutare	*Si fa una passeggiata. Si visita il centro storico, Si va al mercato? Che buon'idea! D'accordo! Veramente non mi va.*
✔ chiedere e dare le indicazioni in modo cortese	*Scusi signora/signore. Dov'è il museo, per favore? Si deve girare a destra/a sinistra. Si deve prendere la prima/la seconda a destra/a sinistra. Si deve andare sempre diritto. Mille grazie! Arrivederci!*

E la grammatica?

✔ si impersonale	*Si fa, si va, si visita . . .*
✔ i verbi irregolari	*andare, fare, volere, potere, dovere*
✔ da	*Cosa c'è da fare . . .*

Tutti insieme

Prepara una pubblicità per i turisti sulla tua città in italiano.

Scegli:

ⓒ un opuscolo illustrato

Trova delle foto. Scrivi dei paragrafi sulla tua città.

ⓐ un manifesto pubblicitario

Trova una bella foto o fa tu il disegno. Scrivi uno slogan.

ⓑ una visita guidata su cassetta (audio/video)

Prepara una visita guidata. Registra su una cassetta.

Si esce dall'ufficio turistico. Si deve girare a destra. Si deve andare sempre diritto. Ecco la Galleria Nazionale. Di fronte alla galleria c'è un giardino botanico ...

St Kilda

La spiaggia di Melbourne

Una spiaggia favolosa, mercati, il Luna Park, la passeggiata lungo il mare ... A St Kilda c'è tutto! Si va in bicicletta, si fa jogging, si nuota, si fa lo shopping ... St Kilda, per un week-end ideale!

Ci sono tanti ristoranti e caffè in Acland Street e in Fitzroy Street. Buon appetito!

Attività tutti insieme

Il week-end degli italiani

Cosa vuoi fare il fine settimana?

pranzo in famiglia (36%)

visitare la famiglia (35%)

passeggiate in campagna (30%)

lavori in casa/in giardino (21%)

dormire fino a tardi (19%)

uscire il sabato sera (15%)

fare le spese (14%)

jogging (3%)

(fonte: *ScopriGliItaliani 2003*)

Sondaggio dei ragazzi italiani dai 13 ai 17 anni

Che cosa vi piace fare quando non c'è la scuola?

andare al cinema	49%
uscire con gli amici	46%
ascoltare la musica	44%
praticare lo sport	42%
guardare la televisione	24%
ballare in discoteca	20%
fare lo shopping	17%
leggere	10%
giocare ai videogiochi	8%
andare al teatro	2%
non fare niente	2%

(fonte: *Signora Tempolibero*/Cirgi, Centro italiano per ricerche sui giovani italiani)

Joelle parte per l'Australia

Buon viaggio!

You will learn how to . . .

✔ name countries: *L'Inghilterra, la Spagna, il Giappone, gli Stati Uniti*
✔ say which countries you'd like to go to: *Vorrei andare in Francia, in Inghilterra, negli Stati Uniti . . .*

Joelle: Vado in Australia in luglio!

Elisa: In vacanza?

Joelle: Sì, vado a raggiungere i miei genitori a Sydney. Come sai, sono lì per lavoro.

Elisa: Come faccio senza di te durante le vacanze?! Sono triste.

Joelle: Sì, anch'io un po'.

Paolo: Vai in Australia? Sì parla inglese lì . . .

Joelle: Sì, vado a Sydney . . . ma ci sono anche molti italiani.

Paolo: Vorrei andare in Australia.

Luca: Joelle, non partire! Resta qui con noi a Milano!

Joelle _____ in luglio! Lei _____ a raggiungere i suoi genitori _____ Sydney, _____ Australia. Anche Paolo vuole _____ in Australia. Noi _____ tutti tristi.

in   va   andare

siamo   parte   a

1 🔘 Ascolta e leggi. Impara a memoria.

2 Copia e completa la lettera di Elisa con le parole giuste dalla lista.

Nel mondo . . .

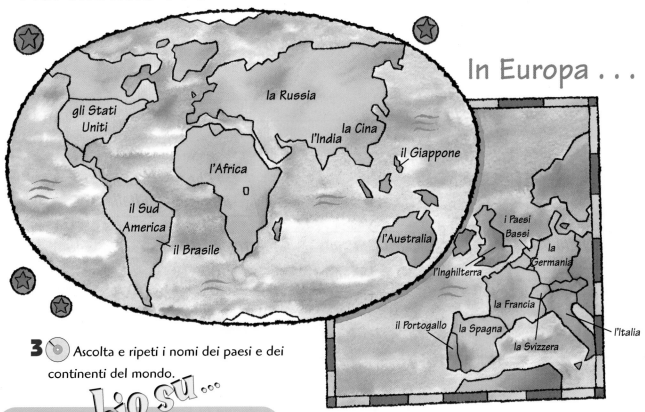

In Europa . . .

3 Ascolta e ripeti i nomi dei paesi e dei continenti del mondo.

Occhio su ...

i paesi

4a Guarda la mappa del mondo e fa un elenco dei paesi maschili e dei paesi femminili.

paesi maschili	paesi femminili
il Brasile	l'Italia

b Trova altri cinque paesi maschili e cinque paesi femminili nel tuo dizionario.

5 Guarda le Espressioni chiave. Indovina!
in (senza l'articolo) + il nome del paese al singolare o il nome del paese al plurale?
negli/nei + il nome del paese al singolare o il nome del paese al plurale? (Verifica alla pagina 144.)

6 Copia e completa le frasi.

Esempio *In Francia si parla francese.*

a _____ Germania si parla tedesco.
b _____ Australia si parla inglese.
c _____ Paesi Bassi si parla l'olandese.
d _____ Giappone si parla giapponese.
e _____ Russia si parla russo.
f _____ Stati Uniti si parla inglese.

7 **A**, scrivi i nomi di sei paesi dove vuoi andare.
B, indovina i sei paesi del tuo compagno/della tua compagna di classe.

Vuoi andare in Svizzera?

Sì, voglio andare in Svizzera.

B

A

Vuoi andare negli Stati Uniti?

No, non voglio andare negli Stati Uniti.

B

A

Espressioni chiave

Il	Brasile, Giappone, Portogallo
La	Francia, Spagna, Germania
L'	Italia, Inghilterra, Australia
I	Paesi Bassi
Gli	Stati Uniti
Vado **in**	Brasile, Spagna, Australia
Vado **nei**	Paesi Bassi
Vado **negli**	Stati Uniti

Fa bel tempo!

9

You will learn how to . . .

- ✓ ask what the weather is like: *Che tempo fa?*
- ✓ say what the weather is like: *Fa bel tempo. Piove. C'è il sole.*
- ✓ understand a weather forecast

Le quattro stagioni

Ecco quattro paesi nel mondo. Che tempo fa?

Che tempo fa in primavera in Italia?

Che tempo fa in estate in Australia?

Che tempo fa in inverno in Nuova Zelanda?

Che tempo fa in autunno in Francia?

1 a Indovina che tempo fa. Guarda le espressioni chiave e scrivi il numero giusto.

Esempio In primavera in Italia: 1, 8, . . .

b Ascolta il Cd per la verifica.

2 👤 Dov'è?

Che tempo fa?

A

Fa caldo, piove e c'è un temporale.

B

È l'Italia in primavera!

A

Sì, giusto.

B

3 Descrivi il tuo paese ed il clima durante le varie stagioni dell'anno.

Esempio In primavera fa _____. In estate fa _____.

In più

Quale clima ti piace?

Esempio Mi piace quando fa caldo.
Non mi piace quando tira vento.

Per tenerti Informato

Viaggiare . . . Che bello!

I dati di un recente sondaggio indicano che il 78% degli europei viaggia in estate. Gli austriaci (91%) e gli italiani (88%) sono quelli che amano viaggiare di più; poi ci sono i francesi (73%), gli spagnoli (71%) e per ultimi i belgi (70%).

Per il 53% degli europei, il mare è la destinazione principale; seguono le montagne (28%), la campagna (12%) e poi le città (6%).

Espressioni chiave

Che tempo fa?

Fa bel tempo:

1 fa caldo

2 c'è il sole

Fa brutto tempo:

3 fa freddo

4 è nuvoloso

5 tira vento

6 c'è la nebbia

7 c'è un temporale

8 piove

9 nevica

10 c'è il ghiaccio

4 Ascolta il bollettino meteo alla radio.
Che giorno è?

5a Ascolta di nuovo e prendi degli appunti.

Esempio bello, sole, . . .

b Descrivi brevemente il tempo di oggi.
Usa i tuoi appunti.

Esempio Oggi a Milano fa bel tempo . . .

Guida pratica

Per scrivere un mini-tema:
– trova delle idee sull'argomento
– prepara degli appunti
– scrivi delle espressioni chiave
– scrivi il testo
Ecco un esempio di un mini-tema:

1 Argomento: Quando piove, io . . .

  Espressioni chiave: non esco

               i fumetti

               la televisione

               i videogiochi

2 Quando piove, non esco. Leggo dei fumetti,
guardo la televisione o gioco con i
videogiochi con mio fratello.

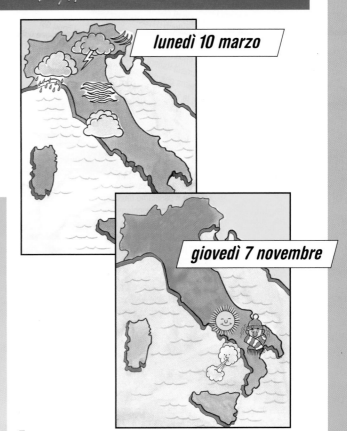

lunedì 10 marzo

giovedì 7 novembre

6 Adesso scegli uno di questi temi:

a Descrivi il clima nella tua regione.

In autunno . . .

b Quando fa bel tempo, mi piace . . .

Viaggio in Australia

You will learn how to . . .

✓ describe places: *C'è un cinema, ci sono molti italiani . . .*
✓ describe what people do: *Si va in palestra, facciamo una gita, fanno lo shopping, la gente viene a vedere le feste italiane . . .*

Elisa della Croce
Via Solari, 16
20144 Milano (Mi)
ITALIA

Sydney, 5 agosto

Carissima Elisa,

come stai? Io, benissimo! Mi piace dove hanno villetta i miei genitori. Ci sono tanti italiani che abitano in questo quartiere di Sydney che si chiama Leichhardt. Infatti papà dice che in Australia vivono più di due milioni di italiani! Adesso capisco perchè si vede l'italiano dappertutto – cappuccino, pizza, gelati.

Ci sono molte cose da fare qui a Leichhardt: ci sono dei fantastici ristoranti italiani, un centro culturale italiano e c'è anche un cinema che dà film italiani. La gente di Sydney viene qui a vedere le feste italiane. La cultura italiana in Australia è veramente viva.

Nel tempo libero **i ragazzi australi**ani amano **soprattutto** uscire con gli amici, proprio come in Italia. Adesso conosco tanti ragazzi della mia età e passiamo molto tempo tutti insieme. Andiamo al cinema o in discoteca, giochiamo a calcio, facciamo delle passeggiate e chiacchieriamo. La sera si ascolta la musica, si va in palestra o si va a prendere un gelato insieme. I ragazzi qui preferiscono incontrarsi nei centri commerciali dove fanno lo shopping o semplicemente guardano le vetrine.

In estate però, i miei amici dicono che vanno spesso alla spiaggia. Tu, Luca e Paolo siete sempre tutti al mare? È molto buffo pensare che da voi è estate e fa caldo mentre qui è inverno, fa freddo e piove!

Mi piace molto l'Australia. Esco molto con i miei amici e posso parlare inglese ogni giorno con loro. Ma questo week-end io e i miei genitori vogliamo fare una gita per vedere più da vicino questo grandissimo paese. Adoro le vacanze!

Elisa, devi raccontare tutto quello che fai.
Scrivi presto!

Un bacio e un abbraccio,

Joelle

1a Leggi e ascolta la lettera di Joelle.

b Rispondi alle domande.

  a Dove abitano i genitori di Joelle?

  b Quanti italiani ci sono in Australia?

  c Descrivi Leichhardt.

  d Cosa piace ai ragazzi italiani e australiani?

  e Qual è il passatempo preferito in estate in Australia?

  f Che stagione è in Australia?

  g Cosa vogliono fare Joelle e i suoi genitori questo week-end?

  h Cosa deve fare Elisa?

noi, voi e loro + il verbo

2 Copia e completa la tabella

l'infinito	noi	voi	loro
ascoltare			ascoltano
giocare	giochiamo		
finire			finiscono
dormire		dormite	
leggere	leggiamo		
fare		fate	
andare	andiamo		
essere			sono
dire	diciamo		
uscire		uscite	
scrivere			scrivono

3 Unisci le frasi:

  a they listen — leggono
  b we finish — dite
  c you say — dormiamo
  d they read — siete
  e we sleep — ascoltano
  f you are — finiamo

4a Cosa fai durante le vacanze estive insieme agli amici?

  Esempio *Durante le vacanze noi . . .*

b Leggi di nuovo la lettera di Joelle. Cosa fa Joelle insieme agli amici australiani?

5 Incontrate dei turisti italiani che fanno le seguenti domande sul tuo paese. In gruppi preparate una risposta per ogni domanda. Un gruppo fa le domande e l'altro risponde. Poi cambiate le parti.

> Che musica ascoltate in Australia?

> Ascoltiamo la musica rap, la musica pop . . .

> A che cosa giocate nel tempo libero?

> A che età finite gli studi?

> Dormite nel pomeriggio?

> Leggete molti giornali?

> Cosa fate per Natale?

> Siete contenti di vivere qui?

> Dove andate per le vacanze?

> Cosa dite delle vostre scuole?

> Uscite molto la sera?

> Scrivete tante e-mail?

In più

Scrivi cinque frasi sulle differenze fra l'Italia e il tuo paese.

Esempio *In Australia le scuole finiscono più tardi.*

Guida pratica

Vuoi trovare un verbo nel dizionario?
Trova prima **l'infinito** del verbo. In Inglese, corrisponde al "to . . . ", per esempio, "to work".

lavoriamo = lavorare
vedono = vedere
dormite = dormire

6 Trova le tre forme dell'infinito. Verifica alla pagina 149.

7 Trova l'infinito di questi verbi nel dizionario.

abbiamo	prendono	capite
vogliono	trovate	viviamo
preferiscono	mangiamo	potete

Che ora è?

You will learn how to . . .

✔ ask what time it is: *Che ora è? Che ore sono?*

✔ say and understand the time: *È mezzogiorno. Sono le sette e mezza. Sono le otto meno un quarto.*

✔ say at what time people do things: *Sono svegli alle sei e un quarto.*

La giornata di Elisa e Lisa

Lisa, un'amica, passa la notte da Elisa. Ecco la loro giornata.

1 Sono le sei e un quarto. Sono sveglie. Oggi fa freddo!

2 Sono le sei e venticinque. Fanno colazione: delle brioche e un caffellatte.

3 Sono le sette e mezza. Vanno a scuola. Prendono l'autobus.

4 Sono le otto meno un quarto. Arrivano a scuola e incontrano i loro compagni di classe.

5 Sono le undici e dieci. Hanno la lezione d'inglese.

6 È l'una e mezza. Pranzano: un panino e della frutta.

7 Sono le tre. Ascoltano la musica.

8 Sono le otto meno venti. Cenano e parlano della giornata.

9 Sono le dieci meno cinque. Vanno a letto.

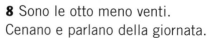

1 Leggi e ascolti. Trova l'orologio per ogni ora.

Esempio 1 – g

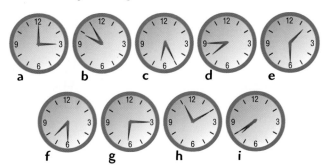

a b c d e

f g h i

2 Trova l'orologio giusto.

Che ora è?

A

Sono le otto meno un quarto

B

È l'orologio d.

A

Espressioni chiave

Che ora è? Che ore sono?
È l'una.
È l'una e mezza . . .
Sono le due, le cinque, le otto meno un quarto, le undici e dieci . . .
È mezzogiorno. È mezzanotte.

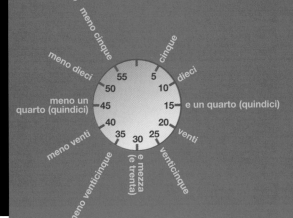

Attenzione!
alle + ore
all' + una
a + mezzogiorno
a + mezzanotte
Cosa fai **alle** nove?
Alle nove, vado a letto.

3a Rispondi.

Cosa fanno Elisa e Lisa alle:
– 11.10, 6.25, 7.30, 7.45 (di mattina)
– 1.30, 3.00 (del pomeriggio)
– 7.40, 9.55 (di sera)
Esempio Alle undici e dieci hanno la lezione d'inglese.

b

Pranzano. E alle undici e dieci?

Cosa fanno all'una e mezza?

B

Hanno la lezione d'inglese. E alle dieci meno cinque?

A

A

Si dice così!

ghi e **ghe**

4 Ascolta e ripeti.

Alighiero fa una gita ai laghi alpini. Trova tre streghe in ghingheri che dormono come dei ghiri.

5 Completa:

	singolare	plurale
Esempio	fungo	funghi
	strega	streghe

paga drago riga lega mago larga spago
ago lago castigo sugo catalogo dialogo

6 Ascolta e ripeti i suoni **ghi** e **ghe**.

7 Tocca a te! Ascolta la Cd per la verifica.

Le streghe e i maghi che vivono lungo i laghi ungheresi mangiano spaghetti, ghiri fritti e funghi.

Le invenzioni del mondo

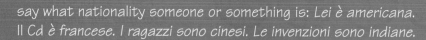

9

You will learn how to . . .

✔ say what nationality someone or something is: *Lei è americana. Il Cd è francese. I ragazzi sono cinesi. Le invenzioni sono indiane.*

1a Fa il test.

b  Ascolta il Cd per la verifica.

Conosci la nazionalità delle invenzioni?

1 I videogiochi (1971) sono:
   a americani
   b giapponesi
   c svizzeri

2 I "Lego" (1942) sono dei giocattoli:
   a tedeschi
   b spagnoli
   c danesi

3 I primi croissant sono:
   a canadesi
   b austriaci
   c francesi

4 La prima piscina riscaldata (1° secolo a.C.) è:
   a egiziana
   b italiana
   c greca

5 Il primo ketchup è:
   a americano
   b cinese
   c francese

6 Le prime patatine (1853) sono:
   a francesi
   b americane
   c belghe

7 La prima pila (1800) è:
   a americana
   b spagnola
   c italiana

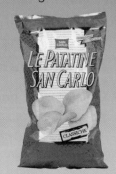

8 Il primo spazzolino da denti (15° secolo) è:
   a giapponese
   b indiano
   c cinese

In più

Fa un elenco dei paesi e delle nazionalità.

Il Giappone	giapponese
L'Italia	italiano/italiana

Occhio su...

l'aggettivo di nazionalità al plurale

americano   americana
americani   americane

2 Copia e completa.
   a Il maschile singolare: americano
   b Il femminile singolare: _____
   c Il maschile plurale: _____
   d Il femminile plurale: _____

Attenzione!
Se un aggettivo al singolare finisce in -e, può essere o maschile o femminile. Al plurale questo tipo di aggettivo finisce sempre in -i.
Singolare
Lui è inglese. (maschile)
Lei è inglese. (femminile)
Plurale
I ragazzi sono inglesi. (maschile)
Le ragazze sono inglesi. (femminile)

3 Scrivi delle frasi.
   Esempio *tedesco – Lui è tedesco. Lei è tedesca. I ragazzi sono tedeschi. Le ragazze sono tedesche.*
   spagnolo   canadese   australiano
   francese   indiano   cinese

Attenzione!
Le nazionalità si scrivono con la minuscola.

Lo sai . . . ?

✔	parlare di altri paesi e nazionalità	la Francia, l'Italia, gli Stati Uniti
		americano(a), francese
		Vorrei andare in Australia.
✔	chiedere e dire che tempo fa	Che tempo fa? Fa bel tempo. C'è il sole. Piove.
✔	chiedere e dire che ora è	Che ora è? È l'una meno un quarto. Sono le sette e mezza.
✔	descrivere le attività del giorno	Fanno colazione, prendono l'autobus, arrivano a scuola . . .

E la grammatica?

✔	in, nei, negli + paese	in Italia, in Francia, nei Paesi Bassi, negli Stati Uniti
✔	noi, voi, loro + verbo	giochiamo, dormite, scrivono
✔	il plurale degli aggettivi di nazionalità	spagnoli, spagnole, francesi

Tutti insieme

Buon viaggio!

Gioca il gioco del giro del mondo. Il primo ad arrivare alla casella ARRIVO vince!

1 Prepara il tabellone su carta formato A3:
- disegna una sfera
- disegna 35 caselle sulla sfera

2 Prepara le caselle:
- 1 grande casella (il tuo paese)
  Scrivi: "Partenza/Arrivo"
- 12 caselle PAESI
  Scegli e scrivi i nomi di vari paesi, per esempio:
  la Francia, il Canada, gli Stati Uniti . . .

- 6 caselle BEL TEMPO
  Disegna e scrivi, per esempio:

- 8 caselle BRUTTO TEMPO
  Disegna e scrivi, per esempio:

- 8 caselle L'ORA
  Disegna degli orologi con diverse ore, per esempio:

Le regole del gioco:

- Getta il dado.

- Avanza il tuo gettone.

- Se sei su:
  - una casella BEL TEMPO, di' (per esempio) "C'è il sole", e avanza di due caselle
  - una casella BRUTTO TEMPO, di' (per esempio) "Fa freddo", e avanza di una casella
  - una casella PAESE, di' (per esempio) "Vado in Italia"
  - una casella L'ORA, di' (per esempio) "Sono le otto"

  Se non lo dici bene, torna indietro di una casella.

Esempio del gioco

A getta il dado e arriva su una casella PAESE.

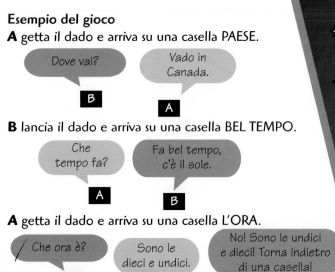

Dove vai? — **B**
Vado in Canada. — **A**

B lancia il dado e arriva su una casella BEL TEMPO.

Che tempo fa? — **A**
Fa bel tempo, c'è il sole. — **B**

A getta il dado e arriva su una casella L'ORA.

Che ora è? — **B**
Sono le dieci e undici. — **A**
No! Sono le undici e dieci! Torna indietro di una casella! — **B**

Attività tutti insieme

Conosci l'Italia?

Sai le risposte a queste domande? Se no, naviga in Internet e trova le risposte. Prova a usare uno di questi motori di ricerca italiani: **www.google.it**, **www.yahoo.it** o **www.virgilio.it/home**

> **Attenzione!**
> *Se devi scrivere una lettera con l'accento mentre usi un motore di ricerca, prova a scrivere la lettera senza l'accento.*

1
- Chi ha dipinto *La Vergine delle rocce?*
- L'Italia è divisa in quante regioni?
- Quali sono i due stati indipendenti sul territorio italiano?
- Qual è il primo verso dell'inno nazionale d'Italia?
- In quale città si trova la Galleria degli Uffizi?

2
- Come si chiama il migliore amico di Pinocchio?
- Quali sono i colori della squadra di calcio della Juventus?
- In quale città c'è il Ponte dei Sospiri?
- Dove è nato Leonardo da Vinci?
- Qual è il più grande lago d'Italia?

3
- Quale animale simboleggia la squadra di calcio di Catania?
- Qual è la città di Romeo e Giulietta?
- Chi è il grande tenore italiano nato a Modena?
- I capelli d'angelo, i bucatini, i fusilli e le pappardelle sono tipi di?
- Qual è l'emblema della scuderia Ferrari?

4
- Qual è la più grande città d'Italia?
- Come si chiama il pupazzo più popolare creato da Maria Perego?
- Quali sono i due prodotti più famosi di Parma?
- Che cos'è il Giro d'Italia?
- Come si chiama il vulcano che ha distrutto la città di Pompei nel 79 d.C.?

5
- Chi sono gli Azzurri?
- Chi è Arlecchino?
- Come si chiamano le tipiche barche di Venezia?
- Come si chiama il fiume più lungo d'Italia?
- Che cos'è l'Etna?

6
- Che cos'è la Legambiente?
- Chi è la Befana?
- Come si chiama la famosa corsa di cavalli a Siena?
- Qual è l'isola più grande del Mediterraneo?
- Come si chiama la piazza più importante di Bologna?

Ripasso Unità 7, 8, 9

Guarda le sezioni "Lo sai . . . ?"
alle pagine 97, 109 e 121.

Come stai?

1 Leggi la lettera. Scegli la risposta adatta.

1 Che cosa ha Giulia?

a

b

2 A che ora va dal dottore?

a all'1.30

b all'1.15

3 Dove vanno Giulia e sua madre questo week-end?

a

b

4 Cosa le piace fare al porto?

a

b

5 In quale paese Giulia vuole andare?

a

b

6 Che tempo fa a Genova?

a

b

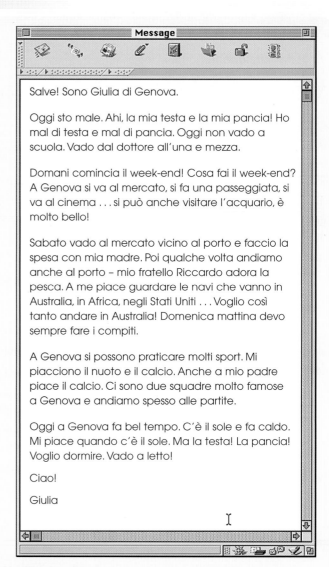

Salve! Sono Giulia di Genova.

Oggi sto male. Ahi, la mia testa e la mia pancia! Ho mal di testa e mal di pancia. Oggi non vado a scuola. Vado dal dottore all'una e mezza.

Domani comincia il week-end! Cosa fai il week-end? A Genova si va al mercato, si fa una passeggiata, si va al cinema . . . si può anche visitare l'acquario, è molto bello!

Sabato vado al mercato vicino al porto e faccio la spesa con mia madre. Poi qualche volta andiamo anche al porto – mio fratello Riccardo adora la pesca. A me piace guardare le navi che vanno in Australia, in Africa, negli Stati Uniti . . . Voglio così tanto andare in Australia! Domenica mattina devo sempre fare i compiti.

A Genova si possono praticare molti sport. Mi piacciono il nuoto e il calcio. Anche a mio padre piace il calcio. Ci sono due squadre molto famose a Genova e andiamo spesso alle partite.

Oggi a Genova fa bel tempo. C'è il sole e fa caldo. Mi piace quando c'è il sole. Ma la testa! La pancia! Voglio dormire. Vado a letto!

Ciao!

Giulia

2 Cinque persone telefonano al dottore. Ascolta i loro problemi e completa la lista.

	sintomi	appuntamento
1	febbre, voglia di dormire	4. 30

Milano . . .
Qualcosa *per tutti!*

3 Cosa possono fare i giovani il week-end a Milano? Inventa una frase per ogni attività.

> *Esempio* I giovani possono giocare a calcio.

fare   **giocare**   **andare**

sci nautico	a calcio	al bar
a tennis	a pescare	a calcetto
al cinema	nuoto	alla galleria d'arte
	a fare lo shopping	

4a 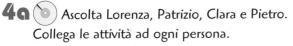 Ascolta Lorenza, Patrizio, Clara e Pietro. Collega le attività ad ogni persona.

> *Esempio* Lorenza – a, . . .

4b Scrivi le attività per ogni persona.

> *Esempio* Lorenza – televisione, pescare

Chi è . . .

a sportivo?   **b** socievole?

c tranquillo?   **d** raffinato?

In più

Scrivi un'e-mail al tuo amico/alla tua amica di penna su cosa si può fare il week-end nel tuo paese.

5 Fa un'intervista al tuo compagno/alla tua compagna di classe.

Cosa fai questo week-end?

Vado alla spiaggia.

 A   **B**

In più...Unità 1

1a Metti la conversazione nell'ordine giusto.

Fabio

a Salve! (comincia qui)
b Non ho animali domestici.
c Come ti chiami
d Ho dodici anni. E tu?
e Hai un animale a casa tua, Lucio?
f Mi chiamo Fabio.

Lucio

g Quanti anni hai, Fabio?
h Mi chiamo Lucio. E tu?
i Ciao!
l Sì, ho un cane. E tu?
m Io, ho tredici anni.

b  Ascolta il Cd per la verifica.

c In coppia, leggete la conversazione.

2a Copia e completa la scheda di Fausta.

Nome: _____
Età: _____
Indirizzo: _____
Data del compleanno: _____
Fratelli/Sorelle: _____
Animali: _____

> Buongiorno! Mi chiamo Fausta Bellini. Ho tredici anni. Il mio compleanno è il 2 novembre. Abito a Bologna in via della Croce, 17. Ho un fratello e due sorelle. Ho un cane.

Nome: Romano Donati
Età: 12 anni
Indirizzo: Via Gramsci, 83, Potenza
Data del compleanno: 20/7
Fratelli/Sorelle: 1 sorella
Animali: 2 conigli

Nome: Michela Rocca
Età: 14 anni
Indirizzo: Piazza S. Trinità, 7, Treviso
Data del compleanno: 25/6
Fratelli/Sorelle: 1 fratello
Animali: 3 pesci rossi

Nome: Maurizio Costanzi
Età: 12 anni
Indirizzo: Via della Scala, 194, Torre del Lago
Data del compleanno: 16/5
Fratelli/Sorelle: No
Animali: 1 gatto siamese

2b Leggi le schede. Scrivi i messaggi di Romano, Michela e Maurizio.

c Fa la tua scheda e scrivi il tuo messaggio.

In più...Unità 2

1 Indovina la materia preferita di Elisa, Joelle, Luca e Paolo. Ascolta il Cd per la verifica.

Elisa

Luca

Paolo

Joelle

2a Sondaggio. Intervista dieci compagni/ compagne di classe.

La mia materia preferita è educazione fisica.

A

La mia materia preferita è italiano.

B

Sondaggio Materia preferita:

b Dà anche la tua opinione.

La mia materia preferita è italiano. È forte!

Gina   *Giovanni*

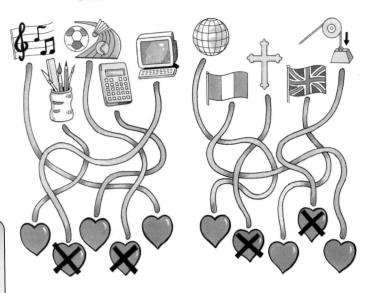

3 Scrivi un paragrafo per Gina e Giovanni. Inventa le opinioni.

Esempio *A Gina piace arte. È fantastica. Non le piace . . .*

4 Rispondi a questa lettera.

Como, 21 gennaio 2004

Cara Luisa,

ciao! La mia scuola è la Scuola media "Santa Maria Montefiore" di Como. Mi piace la scuola, è interessante e ho tanti amici. Ti piace la scuola?

La mia materia preferita è arte. È forte! Mi piace anche musica; è faticosa, ma divertente. Il mio professore di musica è simpatico. Hai una materia preferita? Non mi piace matematica perché è difficile. Che cosa non ti piace? Perché?

Nel mio zaino ho i quaderni, i libri, e un dizionario. Nel mio astuccio ho due penne, una riga e le matite colorate. Cosa hai nello zaino? Che cosa hai nell'astuccio?

Il lunedì nel mio zaino ho anche la tuta e le scarpe da tennis perché c'è educazione fisica. Hai anche tu educazione fisica il lunedì? Ti piace lo sport? Il mio sport preferito è il tennis.

Ciao! A presto!

Federica

In più...Unità 3

1 Indovina cosa fa il tuo compagno/la tua compagna di classe il week-end. Chi vince?

Cosa fai il week-end? Guardi dei video?
A

Sì, guardo dei video. Un punto a te!
B

Cosa fai il week-end? Vai al cinema?
A

No, non vado al cinema. Un punto a me!
B

2a Leggi la posta elettronica. Rispondi alle domande.

Esempio 1–Sì, faccio judo.

b Fa cinque domande sugli altri passatempi a Isabella.

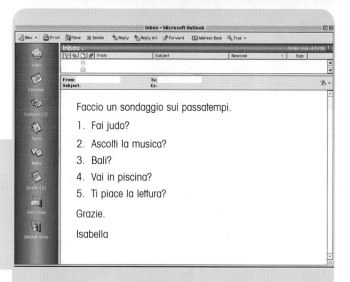

Faccio un sondaggio sui passatempi.

1. Fai judo?
2. Ascolti la musica?
3. Bali?
4. Vai in piscina?
5. Ti piace la lettura?

Grazie.

Isabella

3 Leggi l'articolo sui passatempi e rispondi.

Esempio

Mi piace il nuoto. È favoloso!
Il week-end vado in piscina con Teresa.

Non mi piace l'informatica a scuola, ma mi piacciono i videogiochi al centro per i giovani. Sono divertenti!

I passatempi: Un sondaggio

Cari lettori,
facciamo un sondaggio sui passatempi.
Invitiamo tutti i ragazzi a rispondere alle domande qui sotto per scoprire le vostre preferenze.
Inviateci le vostre risposte!

Ti piace lo sport?
Qual è il tuo sport preferito?

Cosa fai il week-end?

Dove vai il week-end?

Fai parte di un centro per i giovani?
Cosa fai al centro?

Qual è il tuo passatempo preferito? Perché?

Leggete i risultati del sondaggio nel prossimo numero di questa rivista.
Grazie in anticipo!
Aspettiamo le vostre lettere!

Ti piace lo sport?
Qual è il tuo sport preferito?

La redazione

In più...Unità 4

1a Ascolta l'intervista con Stefania. Rispondi alle domande.

  a Quanti anni ha Stefania?
  b Abita a Milano?
  c Ha dei fratelli?
  d Ha delle sorelle?
  e Cosa le piace fare nel week-end?
  f Com'è? (come personalità)
  g È bassa?
  h È magra?
  i Come sono i suoi capelli?

b Intervista il tuo compagno/la tua compagna di classe. Prepara nove domande. (Adatta le domande dell'attività 1a.)

Esempio età – *Quanti anni hai?*

fratelli/sorelle

capelli

alto(a) – basso(a)

abita

magro(a) – grasso(a)

età

personalità

gli piace/le piace

c I tuo compagno/la tua compagna fa il ruolo di una persona celebre. Chi? Fa nove domande e scopri la sua identità.

d Scrivi una descrizione del personaggio misterioso in nove frasi.

Esempio Si chiama Kelly. Ha tredici anni . . .

2 Unisci le descrizioni ai disegni.

a
Mia sorella si chiama Cristina. Ha dodici anni. È alta e abbastanza grassa. È simpatica e molto bella. È castana e ha i capelli lunghi e ricci. Le piace ascoltare la musica e ballare.

b
Ho una cugina. Si chiama Sofia. Ha quattordici anni. Ha i capelli lunghi e lisci ed è bionda. Porta gli occhiali. È bassa e magra. Adora gli animali e le piace suonare la chitarra. È divertente e un po' timida.

3 Scrivi una descrizione di Cristiano e di Carla.

4 Scrivi una descrizione di un amico o di un'amica.

c
Mio fratello ha tredici anni. Si chiama Gianni. È alto e magro. È biondo e ha i capelli corti e lisci. Gli piace guardare la televisione. È molto superstizioso.

d
Ho un cugino. Si chiama Nicola. Ha dodici anni. Ha i capelli corti e ricci ed è castano. È abbastanza basso e abbastanza grasso. È molto sportivo. Gioca a calcio, a rugby e a tennis. È molto simpatico.

In più...Unità 5

1a Leggi la lettera. Qual è la camera di Giancarlo, a, b oppure c?

Torino, 6 febbraio 2004

Ciao Stefania,

ciao! La mia camera è piccola (molto piccola!) ma comoda. Nella mia camera ho il mio letto, un armadio e uno scaffale. Sullo scaffale c'è la mia collezione di Cd accanto al mio lettore Cd. Sotto il mio letto dorme il mio gatto Max. Non ho una scrivania e faccio i miei compiti in cucina.

Nella mia camera leggo, ascolto la musica, scrivo nel mio diario e dormo!

E tu? Com'è la tua camera da letto? Che cosa fai nella tua camera?

A presto,

Giancarlo

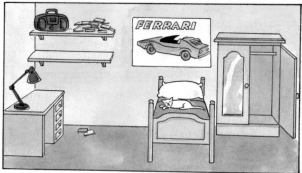

1b Scrivi una risposta a Giancarlo.

2a Filippo descrive la sua nuova casa. Ascolta e prendi degli appunti.

b Disegna la casa di Filippo. Confronta il tuo disegno con quello del tuo compagno/della tua compagna di classe.

c **A**, immagina di essere Filippo. Descrivi la tua casa. **B**, ascolta bene. La descrizione è giusta?

3a Scegli i verbi adatti per ogni conversazione.

> Tu _____ a basket nella tua camera?
> No, ma _____ esercizio con la bicicletta.

A

> Tu _____ i compiti nella tua camera?
> Sì, e _____ la musica e anche _____ delle poesie.

B

> Ti _____ disegnare?
> Sì, arte è la mia materia preferita. _____ spesso nella mia camera.

C

> Che cosa _____ nella tua camera?
> _____ delle caramelle, _____ la televisione, _____ delle lettere e _____!

D

fai   ascolto   guardo   faccio   mangio   dormo   leggo   fai   scrivo   giochi   disegno   piace

3b Inventa altre conversazioni

In più...**Unità 6**

Le feste italiane!

In gennaio

La festa dell'Epifania

La Befana arriva la sera del 5 gennaio con il sacco pieno di regali.
La brutta strega lascia delle caramelle o dei cioccolatini ai bambini buoni e del carbone ai bambini cattivi.

In dicembre

Il Natale

Durante le festività natalizie le famiglie italiane passano molto tempo intorno alla tavola da pranzo. Mangiano della pasta fresca, del pane, della carne, del panettone, del pandoro e del torrone. Bevono anche dello spumante. Dopo la cena della vigilia i giovani giocano a tombola e a carte.

In febbraio

Il Carnevale

Il Carnevale di Venezia è il più famoso carnevale italiano. Per due settimane ci sono molti concerti e balli in maschera. I dolci tipici del carnevale sono le chiacchiere e le frittelle, semplici o ripiene di crema pasticcera o zabaione.

Il cenone del San Silvestro

Il 31 dicembre molte famiglie sono in cucina per preparare il cenone. Il menù è molto ricco e la cena è molto lunga. Su ogni tavola, di solito, c'è del cotechino con delle lenticchie e dell'uva. Le lenticchie portano buona fortuna e prosperità nell'anno nuovo.

In marzo/aprile

La Pasqua

Su ogni tavola c'è l'agnello pasquale, la classica colomba e le uova di Pasqua. Le uova sono di cioccolato, decorate, molto grandi, vuote e dentro ci sono delle piccole sorprese.

3 Ascolta. Di quale festa parlano? Scrivi il nome della festa.

4 👥 Insieme al tuo compagno/alla tua compagna di classe, parla delle varie feste del tuo paese.

1 Guarda i disegni e leggi i testi.

2 Rispondi alle domande.

   a Che cosa dà la Befana ai bambini cattivi?

   b Quali sono i dolci tipici del Carnevale?

   c Descrivi le uova di Pasqua italiane.

   d In cosa consiste il menù a Natale?

   e Cosa fanno i giovani dopo la cena di Natale?

   f Che cosa portano le lenticchie nell'anno nuovo?

Cosa mangi a Pasqua/a Natale?

A

Mangio . . . Bevo . . .

B

In più...Unità 7

1 Ascolta Elisa e Joelle dal dottore. Copia e completa le conversazioni.

> **Dottore:** Buongiorno, Elisa.
> **Elisa:** Buongiorno, dottore.
> **Dottore:** Allora come va? Come stai?
> **Elisa:** Sto male.
> **Dottore:** Hai mal di gola?
> **Elisa:** Oh sì, ho _____.
> **Dottore:** Hai anche caldo?
> **Elisa:** Oh sì, ho _____ e ho anche _____, dipende.
> **Dottore:** E hai sete?
> **Elisa:** Sì, ho _____ e ho anche _____.

> **Dottore:** Buongiorno, Joelle.
> **Joelle:** Oh, buongiorno.
> **Dottore:** Cosa c'è, ti senti male?
> **Joelle:** Oh sì, mi sento male.
> **Dottore:** Hai mal di gola?
> **Joelle:** No, ho _____.
> **Dottore:** Hai fame?
> **Joelle:** Oh no, _____, no, no.
> **Dottore:** Hai sete?
> **Joelle:** No, _____.
> **Dottore:** Hmm . . . ti piace la cioccolata?
> **Joelle:** Sì, molto!
> **Dottore:** Mangi troppa cioccolata e poi ti senti male!
> **Joelle:** Purtroppo sì!

2 Leggi gli appunti del dottore. Quali appunti parlano di Elisa e quali appunti parlano di Joelle?

1 Nome:	2 Nome:
Sintomi	Sintomi
mal di pancia	mal di gola
non ha fame	caldo e freddo
mangia la cioccolata	molta sete
	voglia di dormire

3a Leggi di nuovo gli appunti. Indovina i consigli del dottore per Elisa e per Joelle dalla lista.

a prendi dell'aspirina

b va a letto

c bevi delle bevande calde

d bevi tanta acqua

e segui una dieta sana

f non mangiare né caramelle né cioccolata

b Ascolta il Cd per la verifica.

4 Dal dottore. **A** sei la persona malata: scegli i sintomi. **B** sei il dottore: fa delle domande, prendi degli appunti e dà dei consigli appropriati.

Esempio

B: *Buongiorno. Allora come stai?*

A: *Buongiorno dottore. Ho mal di gola e mal di pancia.*

B: *Hai fame o hai sete?*

A: *Sì, ho sete, ma non ho fame.*

B: *Va a letto e bevi delle bevande calde.*

5a Ripassa i nomi dei cibi dell'unità 6. Fa due liste:
– quelli che mangi spesso
– quelli che non mangi spesso

b Leggi l'articolo "La salute dei ragazzi" a pagina 133. Segui una dieta sana?

6a Dà dei consigli per pranzo e per cena. Scrivi o registra i consigli.

Esempio Per seguire una dieta sana, a pranzo mangia delle verdure, della carne . . . Bevi molta acqua . . .

b Discuti con il tuo compagno/la tua compagna di classe.

> A mezzogiorno mangio sempre delle verdure.

> Oh sì, fa molto bene alla salute.

La salute dei ragazzi

Delle idee per la tua salute!

Mattino, mezzogiorno e sera, mangia un alimento da ogni gruppo.

Gruppo 1: la carne, il pesce, le uova

Gruppo 2: la frutta e la verdura

Gruppo 3: il latte e i formaggi

Gruppo 4: i cereali e i legumi secchi

Una prima colazione piena di salute

- Bevi un succo di frutta (arancia, pompelmo) o mangia un frutto (mela, kiwi).

- Mangia dei cereali con del latte o dello yogurt.

- Bevi del latte o della cioccolata calda.

Una merenda che fa bene alla salute

- Bevi un bicchiere di latte o un succo di frutta piuttosto che una bevanda gassata.

- Non mangiare troppi biscotti o torte.

- Mangia del pane o una macedonia di frutta.

In più...Unità 8

Che cosa fate il fine settimana?

AUSTRALIA

Perth

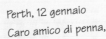

Perth, 12 gennaio

Caro amico di penna,

salve! Mi chiamo Veronica Jacopini e ho 15 anni. Abito a Perth in Australia. Vuoi sapere cosa faccio il week-end?

Il sabato mattina ho lezione di chitarra. Mi piace molto la musica! Il sabato pomeriggio gioco a hockey. Sono l'attaccante della squadra. Non sono molto brava, ma mi piace!

Dopo la partita vado in centro con la mia amica Vanessa; incontriamo degli amici e prendiamo un cappuccino o andiamo al cinema. Il sabato sera esco con Daniel, il mio ragazzo. Andiamo in discoteca. È fantastico!

La domenica mattina devo andare in chiesa con i miei genitori. Veramente questo non mi piace molto! Di solito dopo la messa si va al ristorante per pranzo. Poi si fa una passeggiata o si va a trovare nonno Giovanni. Nonno è sempre molto carino. Questo mi piace!

La domenica sera faccio i compiti e guardo un po' la televisione. Ecco tutto. Mi piacciono i miei week-end. E i tuoi week-end? Voglio sapere come sono.

Cari saluti,
Veronica

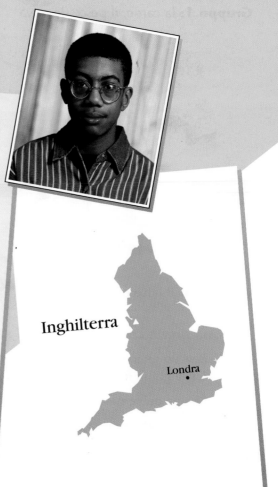

Londra, 15 giugno

Cara amica di penna,

ciao! Mi chiamo Anthony Nayakena. Ho 15 anni e abito a Londra, in Inghilterra. Cosa faccio il fine settimana?

Il sabato mattina posso dormire fino a tardi. Il pomeriggio incontro degli amici e giochiamo a calcio in un parco vicino alla mia casa. Poi faccio il giardinaggio per mia nonna.

Di solito ceno con la nonna e poi esco. Con gli amici si fa una passeggiata in città, si va alla sala giochi o si va in discoteca. A Londra ci sono discoteche per i teenager, dove non si fuma e non si vende alcol.

La musica è fantastica ed è molto divertente. La domenica mattina devo lavorare con mia zia Michelle al mercato in centro. Vendiamo souvenir ai turisti. Non è molto interessante, ma posso guadagnare un po' di soldi e incontrare tante ragazze simpatiche!

Dopo il mercato torno a casa subito perché voglio guardare il calcio alla Tv! La domenica sera leggo in camera mia e scrivo alla mia amica di penna in Italia! Il mio fine settimana è sempre pieno di attività.

Cari saluti,
Anthony

Inghilterra

Londra

1a Leggi le due lettere. Trova i disegni giusti per le attività di Veronica e di Anthony.

b Scrivi le attività.

Esempio 2 – Anthony gioca a calcio con i suoi amici il sabato pomeriggio.

2 Intervista. Leggi le risposte di Veronica e Anthony. Unisci le domande alle risposte.

Risposte

1 Devo andare in chiesa con i miei genitori.
2 Mi chiamo Anthony Nayakena.
3 A Londra ci sono discoteche per i teenager.
4 È in centro.
5 Ho lezione di chitarra.
6 Veramente questo non mi piace molto!
7 Abito a Londra, in Inghilterra.
8 Ho 15 anni.

Domande

a Come ti chiami?
b Quanti anni hai?
c Dove abiti?
d Che fai il sabato mattina?
e Dove vai la domenica mattina?
f Ti piace andare a messa?
g Ci sono discoteche nella tua città?
h Dov'è il mercato?

3 Intervista il tuo compagno/la tua compagna di classe sul suo fine settimana. Adatta le domande dell'attività 2. Registra l'intervista.

4 Hai un amico/un'amica di penna? Scrivi o registra delle domande sul suo week-end.

5 Ascolta la conversazione fra Anthony e un turista italiano al mercato. Prendi degli appunti sui pòsti nel diario di viaggio.

Esempio La galleria d'arte – Si va sempre diritto. Si prende la seconda a destra. È di fronte all'hotel.

Diario di viaggio ✈

Cose da fare:
1. la galleria d'arte
2. il museo
3. il castello
4. un ristorante

1 Leggi le cartoline e poi unisci le cartoline alle foto.

1

Ciao! Sono in vacanza a Sydney, in Australia, la più grande isola nel mondo. Quando è inverno in Italia, qui è estate. È strano! C'è il sole, fa bel tempo e fa caldo.
Vado alla spiaggia e faccio una passeggiata lungo il mare. Sto a Bondi con i miei cugini. Hanno una casa di fronte al mare.

A presto,
Patrizia

2

Salve Lucia!

Mi diverto molto con mio zio e mia zia qui nei Paesi Bassi. Abitano vicino ad un lago. Vado a pescare alle cinque di mattina con mio zio... È faticoso, ma divertente! È autunno e piove la sera. La gente è molto simpatica. Non voglio ritornare in Italia!

Tanti abbracci,

Gianni

3

Cara Maria,

sono in vacanza in Inghilterra con la scuola. Siamo a Portsmouth. Sto con una famiglia inglese. Non parlano italiano, allora è un po' difficile! Abbiamo una lezione d'inglese la mattina e il pomeriggio facciamo delle gite per vedere più da vicino questo bellissimo paese. Mi piace molto, ma non fa bel tempo. Piove, fa freddo e tira vento!

Baci!

Giulia

4

Saluti da St Moritz!

Come vedi, sono in Svizzera. Prendo lezioni per migliorare il mio modo di sciare. Nevica ogni giorno e così le piste da sci sono fantastiche. La mattina è nuvoloso, allora non usciamo spesso, ma qualche volta andiamo in città. Nel pomeriggio c'è il sole così sciamo. Amo molto sciare. La Svizzera in inverno è indimenticabile.

Giancarlo

A

B

C

D

2a Giancarlo telefona al suo amico, Armando.
Metti le frasi di Giancarlo in ordine.

Armando

– Pronto, sì?
– Buongiorno Giancarlo! Dove sei?
– Che tempo fa?
– Cosa fai?
– Ciao, Giancarlo.

Giancarlo

a – Sono in Svizzera.
b – Faccio sci e mi piace molto! A presto!
c – Armando? Sono Giancarlo.
d – Nevica molto. È nuvoloso la mattina e c'è il sole il pomeriggio.

2b 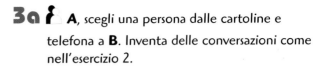 Ascolta il Cd per la verifica.

a

b

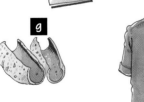

g

e

h

c

3a 👤 **A**, scegli una persona dalle cartoline e telefona a **B**. Inventa delle conversazioni come nell'esercizio 2.

Ciao, sono Patrizia.

A

Ciao! Dove sei?

B

Sono nei Paesi Bassi.

A

3b Sei in vacanza! Scrivi una cartolina o registra un messaggio telefonico.

4 Leggi la poesia *Ragazzo del mondo*. Per ogni frase della poesia trova il disegno giusto.

5 Completa la traduzione.

Kid of the world!
You eat Italian pizza,
. . .
You're a kid of the world!

f

Ragazzo del mondo!

Mangi la pizza italiana,
Hai la camicia indiana,
Hai tanti giochi giapponesi,
E le tue scarpe sono inglesi,
Guardi il basket americano,
Ti piace il cibo messicano,
Ascolti la musica australiana,
Sulla tua radio coreana,
Hai un amico africano,
E ora parli italiano!
Giro giro tondo . . .
Sei un ragazzo del mondo!

d

Introduction

All languages have grammatical patterns (sometimes called 'rules'). Knowing the patterns of Italian grammar helps you understand how Italian works. It means you are in control of the language and can use it to say exactly what you want to say, rather than just learning set phrases.

Here's a summary of the main grammar points covered in *Tutti insieme! 1*, with some activities to check that you have understood and can use the language accurately.

La grammatica

Glossary of terms

noun *il nome* a person, animal, place or thing		*Joelle compra del **pane** al **supermercato**.*
article *l'articolo* a/an, the		*Abito in **una** casa. L'indirizzo è via Solari, 21, Milano.*
singular *il singolare* one of something		*Il ragazzo mangia **un biscotto**.*
plural *il plurale* more than one of something		***Le ragazze** giocano a calcio.*
pronoun *il pronome* a short word used instead of a noun or name		***Mi** piace la scuola.* *Anche **lui** abita a Milano.*
verb *il verbo* a doing word		***Andiamo** in piscina con gli amici.* ***Faccio** i miei compiti.*
adjective *l'aggettivo* a word that describes a noun		*Tuo fratello è **simpatico**.* *È un appartamento **moderno**.*
preposition *la preposizione* a word that describes the relationship of a word to other words		*Il mio zaino è **sotto** il letto.* *Occhio **sulle** preposizioni.*

1 Nouns *i nomi*

Nouns are the words we use to name people, animals, places and things. In English they often have a small word in front of them called the article (*a*, *an* or *the*).

1.1 Masculine or feminine?

All Italian nouns are either masculine or feminine. To tell if a noun is masculine or feminine, look at the article:

	masculine words	feminine words
a or *an*	un uno	una un'
the	il lo l'	la l'

We use *uno/lo* with masculine words beginning with *z* or *s* + a consonant. *Il* is used with masculine words beginning with all other consonants, while *un* is used with all other masculine nouns. We use *l'* with masculine words beginning with a vowel.

We use *una/la* with feminine words beginning with a consonant, and *un'/l'* with feminine words beginning with a vowel:

- ***un*** *fratello,* ***uno*** *zaino,* ***uno*** *scaffale*
- ***il*** *gelato,* ***lo*** *zio,* ***lo*** *scoiattolo,* ***l'****amico*
- ***una*** *matita,* ***un'****agenda*
- ***la*** *calcolatrice,* ***l'****amica*

Important!
Every time you learn a new noun, make sure you also know if it's masculine or feminine. That way you'll always know which article to use.

Don't learn	*mobile*	✗
Learn	*un mobile*	✓

A ***Un, uno, una*** **or** ***un'*****?**

arancia, zoo, inchiesta, amico, ostello, scellino, negozio, nazione, casa, salame, automobile, montagna

1.2 Singular or plural?

Most Italian nouns end in a vowel. Most nouns that end in *-o* are singular and masculine, while most nouns that end in *-a* are singular and feminine. Singular nouns ending in *-e* could be masculine or feminine – remember to look at the article!

Nouns that end in a consonant have been adopted into Italian from other languages. These nouns are usually masculine and are the same both in the singular and in the plural.

For example:

M singular appartamento	F singular testa	M singular bicchiere
F singular classe	M singular bar	

To make a noun plural, you need to change the ending:

- nouns ending in *-o* usually change to *-i*
- nouns ending in *-a* usually change to *-e*
- nouns ending in *-e* change to *-i*
- nouns ending in a consonant stay the same

For example:

M plural appartamenti	F plural teste	M plural bicchieri
F plural classi	M plural bar	

Again, to tell if a plural noun is masculine or feminine, look at the article:

	masculine words	feminine words
the	i gli	le

A few nouns change completely:

> *l'uomo* ➔ *gli uomini*

Some masculine nouns end in *-a* in the singular and *-i* in the plural:

> *il poeta* ➔ *i poeti*

Some masculine nouns end in *-o* in the singular and become feminine in the plural:

> *il braccio* ➔ *le braccia*

Some feminine nouns end in *-o* in the singular and in *-i* in the plural:

> *la mano* ➔ *le mani*

Some feminine nouns end in *-o* in the singular and the plural, but these are usually abbreviations:

> *la foto* ➔ *le foto*
> *(la fotografia* ➔ *le fotografie)*

In front of plural nouns, the words for *a* and *the* change:

> *un* ➔ *dei*
> *uno* ➔ *degli*
> *una/un'* ➔ *delle*
> *il* ➔ *i*
> *lo/l'* ➔ *gli*
> *la/l'* ➔ *le*

For example:

> *Comprate **un** giornale?*
> *Comprate **dei** giornali?*
>
> *Paolo ha **uno** scaffale nella sua camera.*
> *Paolo ha **degli** scaffali nella sua camera.*
>
> *Elisa ascolta **una** cassetta.*
> *Elisa ascolta **delle** cassette.*
>
> *Abbiamo **un'**amica australiana.*
> *Abbiamo **delle** amiche australiane.*
>
> ***Il** professore d'italiano è simpatico.*
> ***I** professori d'italiano sono simpatici.*
>
> ***Lo** zaino è pieno di libri.*
> ***Gli** zaini sono pieni di libri.*
>
> ***L'**albero è molto alto.*
> ***Gli** alberi sono molto alti.*
>
> *Alza **la** gamba!*
> *Alza **le** gambe!*
>
> ***L'**aranciata costa due euro.*
> ***Le** aranciate costano sei euro.*

ß Trova l'immagine che corrisponde alla parola.

delle case	un braccio	dei bicchieri
uno zaino	delle auto	una calcolatrice
delle braccia	un'auto	delle calcolatrici
un bicchiere	una casa	degli zaini

to say *a* or *some* . . .	singular	plural
for most masculine words	un	dei
for masculine words beginning with z or s + a consonant	uno	degli
for most feminine words	una	delle
for feminine words beginning with a vowel	un'	delle

to say *the* . . .		
for most masculine words	il	i
for masculine words beginning with z or s + a consonant	lo	gli
for masculine words beginning with a vowel	l'	gli
for most feminine words	la	le
for feminine words beginning with a vowel	l'	le

C **Copia e completa la lista della spesa con *il*, *lo*, *l'*, *la*, *i*, *gli* or *le*.**

Per cena stasera

_____ **antipasto:**

_____ mozzarelle, _____ olive, _____ pomodori secchi, _____ salame milanese (che piace a Elisa), _____ prosciutto crudo San Daniele

_____ **primo:**

_____ spaghetti con _____ panna, _____ funghi e _____ parmigiano reggiano

_____ **secondo:**

_____ arrosto di vitello, _____ insalata, _____ patate

_____ **dolce:**

_____ torta al cioccolato, _____ gelato alla crema

da bere:

_____ acqua minerale, _____ vino rosso, _____ spumante italiano, _____ zucchero, _____ caffè

1.3 Some and any

The correct Italian word to use for *some* or *any* depends on the noun that follows.

	singular	plural
most masculine words	del	dei
masculine words beginning with z or s + a consonant	dello	degli
masculine words beginning with a vowel	dell'	degli
most feminine words	della	delle
feminine words beginning with a vowel	dell'	delle

For example:

*Ecco **del** formaggio fresco.*	Here's **some** fresh cheese.
*Hai **dell'**inchiostro sulla mano.*	You have **some** ink on your hand.
*Vuoi **dell'**aranciata o **dell'**acqua?*	Do you want **some** orange drink or **some** water?
*Compriamo **degli** zaini.*	We're buying **some** backpacks.
*Avete **delle** domande?*	Have you got **any** questions?

To say *any* in a negative sentence, see section 7.1.

D **Completa l'elenco delle cose nel carrello.**

Nel carrello ho del pollo, degli . . .

2 Adjectives *gli aggettivi*

2.1 *Form of adjectives*

In English, whatever you are describing, the adjective stays the same: an *interesting* film, an *interesting* man, an *interesting* girl, *interesting* people, *interesting* books.

In Italian, the adjective changes to match the word it is describing. Like nouns, it must be either masculine or feminine, singular or plural.

All adjectives ending in -o have four endings:

	singular	plural
masculine words	-o	-i
feminine words	-a	-e

For example: *moderno*

L'appartamento è moderno.   *Gli appartamenti sono moderni.*
La casa è moderna.   *Le case sono moderne.*

A **Scegli la forma giusta dell'aggettivo.**

a Il cane è piccolo/piccola.

b Joelle è simpatico/simpatica.

c Le bambine sono bravi/brave.

d I ragazzi sono allegri/allegre.

e La pasta è freddo/fredda.

f Il padre di Marco è generoso/generosa.

g I miei amici sono stanchi/stanche.

h Le mele sono rossi/rosse.

All adjectives ending in *-e* have two endings:

	singular	plural
masculine words	-e	-i
feminine words	-e	-i

For example: *interessante*

Il libro è interessante.   *I libri sono interessanti.*
La rivista è interessante.   *Le riviste sono interessanti.*

Some adjectives of colour stay the same whether they are masculine or feminine, singular or plural:

blu (blue), *rosa* (pink), *viola* (purple)

B **Metti le seguenti frasi al plurale.**

a Il film è interessante.

b La maglia è viola.

c La studentessa è felice.

d Questo messaggio è importante.

e Il quaderno è blu.

f La mia amica è intelligente.

g L'agenda è rosa.

2.2 *Position of adjectives*

In English, adjectives usually come before the noun they describe: a *violent* film, an *important* city, *nice* friends, a *blue* car.

In Italian, adjectives usually come after the noun: *un film **violento**, una città **importante**, degli amici **simpatici**, un'auto **blu**.*

C Come si dice in italiano?

a an ideal brother

b an intelligent sister

c a modern apartment

d Anne has Italian cousins. (boys)

e I like my orange jacket.

f He has nice friends. (girls)

Some adjectives break this rule of position:

bello	*una **bella** ragazza*
brutto	*un **brutto** incidente*
altro	*un'**altra** volta*
buono	*delle **buone** amiche*
bravo	*dei **bravi** bambini*

The adjective *buono* follows the same pattern as *un, uno, una* and *un'* (*buon, buono, buona, buon'*). The form used depends on the word that follows.

The adjective *bello* follows the same pattern as *il, lo, l', la, l', i, gli* and *le* (*bel, bello, bell', bella, bei, begli, belle*). Again the form used depends on the word that follows.

3 Possessive adjectives
gli aggettivi possessivi

Possessive adjectives tell you who or what something belongs to (*my* bag, *your* CD, *his* brother, *her* shoes etc.).

In Italian they come before the noun they describe and, like all adjectives, have to match the noun they describe. Possessive adjectives come after *il* and *la* in the singular and *i* and *le* in the plural.

	singular masculine	singular feminine	plural masculine	plural feminine
my	il mio	la mia	i miei	le mie
your	il tuo	la tua	i tuoi	le tue
his/her	il suo	la sua	i suoi	le sue

For example:

***I miei** capelli sono biondi; **i tuoi** capelli sono rossi.*	My hair is blonde; your hair is red.
***Le mie** penne sono sotto **le tue** cartelle.*	My pens are under your folders.

Notice that the words for *his* and *her* are the same (*il suo, la sua, i suoi* or *le sue*, depending on the word that follows):

*Elisa adora **il suo** cane.*	Elisa adores *her* dog.
*Paolo adora **il suo** cane.*	Paolo adores *his* dog.

Possessive adjectives followed by singular nouns that name family members or relatives do not have *il* or *la* in front of them:

***Mia** sorella detesta **mio** fratello.*	**My** sister hates **my** brother.
***Tuo** cugino è alto.*	**Your** cousin is tall.
*Come si chiama **tua** zia?*	What's **your** aunt called?
***Suo** padre gioca a tennis.*	**His** father plays tennis./ **Her** father plays tennis.
*Mi piace **sua** sorella.*	I like **his** sister./I like **her** sister.

A **Come si dice in italiano?**

a Your house is big.

b Her parents are patient.

c My sister is called Paula.

d He has his book.

e She has her book.

f Your shoes are Italian.

g Your cousin Frank is English.

h My backpack is red.

4 Prepositions   *le preposizioni*

Prepositions are words that tell you the position of something:

4.1 a

- The preposition *a* normally means *to* or *at* in English. You also use *a* before the name of a town, city or small island:

*Vado **a** Roma ogni anno.*	I go **to** Rome every year.
*È nata **a** Capri, ma abita **a** Lucca.*	She was born **in** Capri but she lives **in** Lucca.

If *a* is followed by *il, lo, l', la, l', i, gli* or *le*, they combine to form a new word:

	il	lo	l'	la	l'	i	gli	le
a	al	allo	all'	alla	all'	ai	agli	alle

For example:

*Andiamo **allo** zoo.*	We're going **to** the zoo.
*La madre dà un gelato **alla** bambina.*	The mother gives an ice-cream **to** the little girl.
*Portiamo i fiori **ai** nonni.*	We're taking the flowers **to** our grandparents.

- You use *all'* and *alle* when you talk about times:

*Torno **all'**una.*	I'll be back **at** one.
*Andiamo alla partita **alle** tre.*	We're going to the game **at** three.

Exception:

*Mangiate **a** mezzogiorno.*	You eat **at midday**.
*Dormono **a** mezzanotte.*	They sleep **at midnight**.

Ⓐ Scrivi dove vanno le persone.
Esempio *Andrea va **al** negozio.*

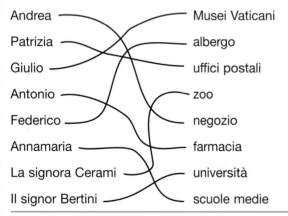

Andrea	Musei Vaticani
Patrizia	albergo
Giulio	uffici postali
Antonio	zoo
Federico	negozio
Annamaria	farmacia
La signora Cerami	università
Il signor Bertini	scuole medie

4.2 in

- The Italian preposition *in* normally means *in* in English. You use *in* before the name of a country, continent, region or large island:

*Roma è **in** Italia.*	Rome is **in** Italy.
*Vado **in** Europa per Natale.*	I'm going **to** Europe for Christmas.

*Comprano l'olio d'oliva **in** Toscana.*	They buy olive oil **in** Tuscany.
*È nato **in** Sicilia.*	He was born **in** Sicily.

- You use *in* when talking about means of transport, certain places, rooms of a house and certain buildings:

in treno	**by** train	*in* città	**in** the city
in macchina	**by** car	*in* montagna	**in** the mountains
in autobus	**by** bus	*in* cucina	**in** the kitchen
in aereo	**by** plane	*in* banca	**in** the bank
in bicicletta	**by** bicycle	*in* piazza	**in** the square

If *in* is followed by *il, lo, l', la, l', i, gli* or *le*, they combine to form a new word.

	il	lo	l'	la	l'	i	gli	le
in	nel	nello	nell'	nella	nell'	nei	negli	nelle

For example:

*Dove sono le scarpe? **Nell'**armadio.*	Where are the shoes? **In** the wardrobe.
*Le studentesse entrano **nell'**aula.*	The students go **into** the classroom.
*Il quadro di Botticelli è **negli** Uffizi.*	Botticelli's painting is **in** the Uffizi.

- You use *nei, negli* or *nelle* before the name of a country or island if the name is plural.

For example:

*Ho dei parenti **negli** Stati Uniti.*	I have relatives **in** the United States.
*Hanno una casa **nelle** Antille.*	They have a house **in** the West Indies.

Ⓑ Fa delle frasi con *in, nel, nello, nell'* e *nella*.

a Andiamo _____ città _____ macchina.

b I biglietti sono _____ tua tasca.

c I ciclisti entrano _____ stadio.

d Guarda _____ agenda.

e Vado a Napoli _____ aereo.

f Vanno _____ Inghilterra _____ treno.

g Le lettere sono _____ cassetto a destra.

h Il computer è _____ ufficio di mamma.

4.3 da

- The preposition *da* normally means *from* in English. You also use *da* before someone's name to mean at, to or in their house:

*Marta viene **da** Lucca.*	Marta comes **from** Lucca.
***Da** dove vieni?*	Where do you come **from**?
*La festa è **da** Aldo.*	The party is **at** Aldo's house.

If *da* is followed by *il, lo, l', la, l', i, gli* or *le* they combine to form a new word.

	il	lo	l'	la	l'	i	gli	le
da	dal	dallo	dall'	dalla	dall'	dai	dagli	dalle

For example:

*Ricevono una telefonata **dall'** agente.*	They receive a phone call **from** the agent.
*Quando torni **dall'** università?*	When are you returning **from** university?
*Il biglietto viene **dai** nonni?*	Is the card **from** our grandparents?

- It can also mean at, to or in someone's place of business, shop or office:

*Mio figlio è **dal** dottore.*	My son is **at** the doctor's.
*Vado **dalla** parrucchiera oggi.*	I'm going **to** the hairdresser's today.

C Anna esce da . . . Scrivi i posti da dove esce Anna.

Esempio *Anna esce dalla farmacia.*

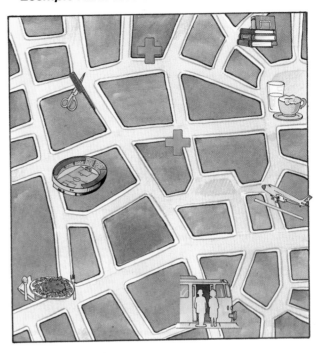

4.4 su

The preposition *su* normally means *on, over* or *about* in English:

*Metti il piatto **su** questo tavolo.*	Put the plate **on** this table.
*L'aereo vola **su** Firenze.*	The plane flies **over** Florence.
*Il film è **su** un gruppo di amici.*	The film is **about** a group of friends.

If *su* is followed by *il, lo, l', la, l', i, gli,* or *le,* they combine to form a new word.

	il	lo	l'	la	l'	i	gli	le
su	sul	sullo	sull'	sulla	sull'	sui	sugli	sulle

For example:

*Il disegno **sullo** zaino è divertente.*	The drawing **on** the backpack is funny.
*Scrivete i nomi **sui** libri.*	Write your names **on** the books.
*Mettono i francobolli **sulle** buste.*	They put the stamps **on** the envelopes.

D Dove sono gli animali?
*Esempio Il gatto è **sul** letto.*

4.5 di

- The preposition *di* normally means *of* in English. You use *di* before a noun to say that something belongs to someone or to describe another noun:

*È lo zaino **di** Paolo.*	It's Paolo**'s** backpack.
*Beviamo un bicchiere **di** latte.*	Let's drink a glass **of** milk.
*Vanno alla festa **di** Joelle.*	They're going to Joelle**'s** party.
*Voglio una giacca **di** pelle.*	I want a leather jacket.

- You use *di* to say where someone comes from:

*Sono **di** Sydney.*	I'm **from** Sydney.
*Elisa è **di** Milano.*	Elisa is **from** Milan.
***Di** dov'è lui?*	Where's he **from**?

If *di* is followed by *il, lo, l', la, l', i, gli* or *le*, they combine to form a new word.

	il	lo	l'	la	l'	i	gli	le
di	del	dello	dell'	della	dell'	dei	degli	delle

For example:

*La porta **della** casa è verde.*	The door **of** the house is green.
*Le risposte **degli** esercizi sono nel libro.*	The answers **to** the exercises are in the book.
*Il nome **del** nuovo studente è Aldo.*	The new student**'s** name is Aldo.

E Come si dice in italiano?

a a glass of wine

b two pieces of pizza

c I'm from Manchester.

d Susanna's pens

e Where are they from?

f Stefano's tennis shoes

- You also use *di* to say *some* and *any*. See section 1.3

5 Pronouns *i pronomi*

A pronoun is a small word used instead of a noun or a name. It helps avoid repetition:

My dog is called Modesty. **She** sleeps outside.

5.1 Subject pronouns

The subject of a verb tells you who or what is doing the action of the verb. It's usually a noun but sometimes is a pronoun. In English we use the following subject pronouns:

I   you   he   she   we   they

I'm studying Italian. Are **you**?

Anne is learning Spanish. **She** loves it.

The Italian subject pronouns are:
- Singular forms

io = I

Io doesn't say whether the person is male or female:

Io parlo italiano.	I speak Italian.

tu = you

Tu doesn't say whether the person is male or female. You use *tu* when talking to a child, friend or relative:

Tu chi sei?	Who are you?

lui = he

You use *lui* for a boy or man:

Lui lavora a Bologna.   He works in Bologna.

lei = she

You use *lei* for a girl or a woman:

Lei lavora a Palermo.   She works in Palermo.

Lei = you

Lei (often written with a capital *L*) doesn't say whether the person is male or female. You use *Lei* when talking to an adult you are not related to:

*Professoressa, Lei ha   Professor, do you
    uno zaino?   have a backpack?*

- Plural forms

noi = we

Noi doesn't say whether the persons are male or female:

Noi arriviamo dopo.   We're arriving later.

voi = you

Voi doesn't say whether the persons are male or female:

Voi, venite qui!   You, come here!

loro = they

Loro doesn't say whether the persons are male or female:

Loro sono felici.   They are happy.

In English you always use the subject pronouns. But because the verb endings show the subject in Italian, you don't always need to use them:

È caldo oggi, vero?   It's hot today, isn't it?

Sono alberi molto alti.   They are very tall trees.

Scriviamo ai parenti   We write to our relatives
*   in Italia.*   in Italy.

Parli molto bene   You speak Italian very
*   l'italiano.*   well.

If you want to stress who is doing the action or contrast one subject with another, then you use the subject pronouns:

*Andiamo **noi**.*   <u>We</u> are going.

__Io__ compro i biglietti.   <u>I</u> am buying the tickets.

*__Lui__ ha un cane; **lei***   <u>He</u> has a dog; <u>she</u> has
*   ha un gatto.*   a cat.

A Trova i pronomi.

noiiotuloroluivoilei

5.2 Indirect object pronouns

Indirect object pronouns answer the question *to whom?* or *for whom?*. In English the word *to* is often not used:

We gave a book *to*   We gave Aunt Sandra
    Aunt Sandra.   a book.

Indirect object pronouns are used instead of indirect object nouns:

We gave Uncle   We gave him the
    Martin the picture.   picture.

You use indirect object pronouns with the verb *piacere* (see section 6.5):

Gli piace tanto   He likes ice-cream
*   il gelato.*   a lot.

Vi piacciono i film   Do you like films by
*   di Roberto Benigni?*   Roberto Benigni?

singular		plural	
(to/for) me	mi	(to/for) us	ci
(to/for) you	ti	(to/for) you	vi
(to/for) you (formal)	Le	(to/for) them	gli (loro)
(to/for) him	gli		
(to/for) her	le		

Important!

- *Mi, ti, Le, gli, le, ci* and *vi* all go in front of the verb. But *loro* goes after the verb.
- You use *Le* when talking to an adult who is not related to you.
- You can use *gli* instead of *loro*.

For example:

Lorenzo parla loro.   Lorenzo speaks to them.

Lorenzo gli parla.   Lorenzo speaks to them.

Professoressa, Le piace Professor, do you like
*   questo libro?*   this book?

Signor Carli, Le piace   Mr Carli, do you like
*   questo appartamento?*   this apartment?

centoquarantasette   147

B Scegli il pronome giusto.

a Marcella _____ parla ogni giorno. (Marcella talks to him every day.)

b _____ scriviamo una cartolina dall'Italia. (We'll write a postcard to you (plural) from Italy.)

c _____ piacciono gli gnocchi? (Do you (singular) like gnocchi?)

d _____ telefona dopo le cinque. (She'll phone me after five o'clock.)

e Signora Fantoni, _____ piace questo film? (Mrs Fantoni, do you like this film?)

f _____ dico grazie. (I say thank you to her.)

g Marta _____ regala sempre i cioccolatini. (Marta always gives us chocolates.)

h L'opera *Turandot* piace _____ . (They like the opera *Turandot*.)

6 Verbs *i verbi*

Verbs are words that describe an action or a state of being. If you can put *to* in front of an English word or *-ing* at the end, it's likely to be a verb:

> write – to write = a verb
>
> listen – listening = a verb
>
> heater – to heater = not a verb
>
> sad – sadding = not a verb

A Spot the verbs!

a I eat my lunch at one o'clock.

b You play the piano every day.

c They send cards to their friends.

6.1 *The infinitive*

Verbs have many different forms:

> I *do* the dishes every day. Mark *does* too, but you *don't.*

If you want to look up a verb in a dictionary, you won't find all the forms listed. For example, you won't find *does* or *don't*. You have to look up the infinitive, *to do.*

Infinitives are easy to recognise in Italian as they normally end with *-are*, *-ere* or *-ire*. For example, *abitare*, *scrivere* and *capire*.

B Trova gli infiniti in questa lista.

andiamo	dormire	sei	parlare
hanno	leggere	fate	uscire
piace	avere	ascoltiamo	ballare
essere			

6.2 *The present tense*

Tense indicates when an action takes place. A verb in the present tense describes an action that is taking place now or takes place regularly. There are two present tenses in English:

> I *am eating* a pear (now).
>
> I *eat* a pear (every day).

In Italian, one tense does both jobs:

> *Mangio una pera (ora).*
>
> *Mangio una pera (ogni giorno).*

6.3 *Verb endings*

To describe an action, you need a subject (the person or thing doing the action) and a verb.

C Who or what is the subject of each verb? The verbs are underlined.

a You <u>eat</u> pasta every day.

b My dog <u>eats</u> lots of bones.

c My dad and I <u>speak</u> Spanish together.

d He <u>speaks</u> Swedish fluently.

e The clock <u>strikes</u> ten.

f I <u>love</u> James Bond films.

Notice in the sentences above that the ending of the verb changes according to who the subject is:

> You eat/She eats   We speak/He speaks

Verb endings change in Italian too and for the same reason.

D Rimetti le frasi in ordine.

a la pasta mangia lei

b Luca e molto Piero mangiano

c alla mensa mangi

d della frutta mangiate

e mangio la mattina del pane

f poco noi mangiamo

E Trova sei forme del verbo mangiare.
Esempio mangia . . .

6.4 Regular verbs

With most Italian verbs, the verb endings change in the same way. These are called regular verbs.

There are three different classes or conjugations of regular verbs. The infinitives of verbs that end in -are are called first conjugation verbs. The infinitives of verbs that end in -ere are second conjugation verbs. And the infinitives of verbs that end in -ire are third conjugation verbs.

Typical endings for first conjugation verbs, like *abitare*, in the present tense are:

io	abit**o**	noi	abit**iamo**
tu	abit**i**	voi	abit**ate**
lui/lei/Lei	abit**a**	loro	abit**ano**

Some other verbs that follow the same pattern as *abitare* are:

amare	to love	*formare*	to form
ascoltare	to listen	*imparare*	to learn
camminare	to walk	*lavorare*	to work
chiamare	to call	*parlare*	to speak
contare	to count	*studiare*	to study

F Copia e completa i verbi.

a Che cosa ascolt_____ tu alla radio?
Io? Ascolt_____ la partita di calcio.

b Liana abit_____ con Michele?
Sì, loro abit_____ in un appartamento in centro.

c Voi gioc _____ a pallacanestro a scuola?
Sì certo! Noi gioch _____ in palestra ogni martedì.

d Che cosa insegn_____ Lei, professor Lombardi?
Quest'anno io insegn_____ matematica e fisica.

Typical endings for second conjugation verbs, like *leggere*, in the present tense are:

io	legg**o**	noi	legg**iamo**
tu	legg**i**	voi	legg**ete**
lui/lei/Lei	legg**e**	loro	legg**ono**

Some other verbs that follow the same pattern as *leggere* are:

cadere	to fall	*piangere*	to cry
scrivere	to write	*ripetere*	to repeat
perdere	to lose	*vivere*	to live
chiedere	to ask	*prendere*	to take

G Copia e completa i verbi.

a Che cosa chied_____ Lei?
Io chied_____ la chiave della mia camera.

b Allora, i ragazzi prend_____ i quaderni e scriv_____ le domande. Poi, le ragazze legg_____ le domande e scriv_____ le risposte. Va bene?

c Ma perché voi pian_____?
Perché noi cad_____ e perd_____ sempre!

d Tu viv_____ in Australia?
No. Io viv_____ a Liverpool, la mia amica viv_____ a Adelaide.

Typical endings for third conjugation verbs, like *sentire*, in the present tense are:

io	sent**o**	noi	sent**iamo**
tu	sent**i**	voi	sent**ite**
lui/lei/Lei	sent**e**	loro	sent**ono**

Some other verbs that follow the same pattern as *sentire* are:

aprire	to open	*partire*	to leave
dormire	to sleep	*seguire*	to follow
offrire	to offer	*soffrire*	to suffer

H Copia e completa i verbi.

a Voi dorm_____ qui stasera?
No, noi dorm_____ a casa di Barbara.

b Io part_____ oggi per le vacanze. Massimiliano part_____ domani.

c Tu apr_____ il regalo subito?
Sì, se no soffr_____ troppo!

d Piero e Letizia segu_____ un corso di francese.
Lo so. E loro segu_____ anche un corso di ballo.

Some third conjugation verbs, like *capire*, add -*isc* before the *io, tu, lui, lei, Lei* and *loro* endings in the present tense:

io	cap**isco**	noi	cap**iamo**
tu	cap**isci**	voi	cap**ite**
lui/lei/Lei	cap**isce**	loro	cap**iscono**

Some other verbs that follow the same pattern as *capire* are:

costruire	to build	*preferire*	to prefer
dimagrire	to lose weight	*pulire*	to clean
finire	to finish	*ubbidire*	to obey

I Copia e completa i verbi.

a Tu dimagr_____ troppo!
No, non è vero! Non dimagr_____ affatto!

b Guarda come quel cane ubbid_____ al suo padrone!
Che bravo! Ma quei cani ubbid_____ sempre ai comandi!

c Voi fin_____ il lavoro qui?
Sì, noi fin_____ il lavoro qui, è più tranquillo.

d Io non cap_____ Antonio! Lui prefer_____ stare a casa.
È uno strano ragazzo! Lui pul_____ sempre la sua camera!

6.5 Irregular verbs

Some verbs don't follow the regular patterns. These are called irregular verbs. Try to learn them by heart.

Here are two very common irregular verbs in the present tense:

	avere (to have)	essere (to be)
io	ho	sono
tu	hai	sei
lui/lei/Lei	ha	è
noi	abbiamo	siamo
voi	avete	siete
loro	hanno	sono

L *Avere* o *essere*? Copia e completa.

a Signora Grandi, Lei _____ sete?
No, ma io _____ molta fame.

b Quanti anni _____ Daniela e Cristiana?
Oh, Daniela _____ 13 anni e Cristiana _____ 14 anni.

c La mia amica di penna _____ simpatica e intelligente. Lei _____ bionda. Lei _____ i capelli lunghi e lisci.

d I bambini _____ stanchi stasera, _____ molto sonno.

e Voi _____ di Londra?
No, noi non _____ inglesi. _____ canadesi, di Toronto.

Important!

C'è and *ci sono*

When you want to say *there is* in Italian you use *c'è* (*ci + è*). When you want to say *there are* you use *ci sono*.

For example:

C'è un gatto sull'albero.	There's a cat in the tree.
Ci sono molti italiani in Australia.	There are many Italians in Australia.

Some more irregular verbs in the present tense are:

	stare (to stay/to be)	andare (to go)	fare (to do/to make)
io	sto	vado	faccio
tu	stai	vai	fai
lui/lei/Lei	sta	va	fa
noi	stiamo	andiamo	facciamo
voi	state	andate	fate
loro	stanno	vanno	fanno

M Scrivi la forma giusta del verbo.

a Tu, dove (andare) _____ questo week-end?
Io (stare) _____ a casa dei nonni perché i miei genitori (andare) _____ a Torino, al Salone dell'Automobile.

b Io (fare) _____ i compiti d'italiano stasera.
E tu? Anche tu (fare) _____ i compiti stasera?
No, io (fare) _____ la babysitter per mia cugina.
Lei e il marito (andare) _____ al cinema.

c Noi (andare) _____ al mare domani. Che cosa (fare) _____ voi?

Noi (stare) _____ qui e non (fare) _____ niente di speciale.

d Cosa (fare) _____ tuo padre?

Lei (fare) _____ il rappresentante e (andare) _____ in tutta Italia per lavoro.

e Voi (dire) _____ che la lezione è divertente.

f Loro (dare) _____ il libro all'insegnante.

g Elisa e Joelle (uscire) _____ alle sei per una passeggiata.

h I turisti (volere) _____ vedere il grattacielo.

Here are more irregular verbs in the present tense:

	venire (to come)	dare (to give)
io	vengo	do
tu	vieni	dai
lui/lei/Lei	viene	da
noi	veniamo	diamo
voi	venite	date
loro	vengono	danno

	uscire (to go out)	bere (to drink)	dire (to say/to tell)
io	esco	bevo	dico
tu	esci	bevi	dici
lui/lei/Lei	esce	beve	dice
noi	usciamo	beviamo	diciamo
voi	uscite	bevete	dite
loro	escono	bevono	dicono

Here are three more very important irregular verbs:

	volere (to want/wish)	potere (to be able to/can)	dovere (to have to/must)
io	voglio	posso	devo
tu	vuoi	puoi	devi
lui/lei/Lei	vuole	può	deve
noi	vogliamo	possiamo	dobbiamo
voi	volete	potete	dovete
loro	vogliono	possono	devono

If a verb follows *volere*, *potere* or *dovere*, it must be in the infinitive (see section 6.8).

N **Scrivi la forma giusta del verbo.**

a Tu (dovere) _____ trovare una soluzione.

b Paolo (bere) _____ l'aranciata d'estate.

c Lei (potere) _____ cominciare, signor Leoni.

d Mio fratello (venire) _____ a cena domani sera.

Another important irregular verb is *piacere* (to like/to be pleasing to).

	piacere
io	piaccio
tu	piaci
lui/lei/Lei	piace
noi	piacciamo
voi	piacete
loro	piacciono

In English you'd say *I like ice-cream*. In Italian to say *I like ice-cream* you must say *Ice-cream is pleasing to me*. In other words, the thing or person you like becomes the subject of your sentence:

I like fish.	Fish is pleasing to me.
You like vegetables.	Vegetables are pleasing to you.
He likes Jane.	Jane is pleasing to him.
She likes Brian and Greg.	Brian and Greg are pleasing to her.

To say *to me, to you, to him, to her, to us* and *to them* in Italian you use indirect object pronouns (see section 5.2):

I like fish	*Mi piace il pesce.*
You like vegetables.	*Ti piacciono le verdure.*
He likes Jane.	*Gli piace Jane.*
She likes Brian and Greg.	*Le piacciono Brian e Greg.*

O *Piace* or *piacciono*? **Scrivi la forma giusta.**

a Mi _____ il gelato.

b A Joelle _____ la frutta.

c Vi _____ gli spaghetti.

d Gli _____ le partite di calcio.

e Le _____ i vestiti rossi.

f Ai ragazzi _____ la cucina italiana.

g Ti _____ l'amico di Paolo.

P Ora traduci le frasi in inglese.

6.6 The imperative

The imperative is the form of the verb you use when you want to give someone an order, an instruction or advice:

Go!   Turn the page.   Eat slowly.

- When giving an instruction/order in Italian to someone you say *tu* to, use the *tu* form of verbs that end in *-ere* (second conjugation) or *-ire* (third conjugation):

Leggi!	Read!
Segui la lezione.	Follow the lesson.
Pulisci!	Clean!

But use the *lui/lei* form of verbs that end in *-are* (first conjugation):

Mangia!	Eat!
Ascolta l'insegnante.	Listen to the teacher.
Gira a destra.	Turn right.

- When giving an instruction/order in Italian to more than one person use the *voi* form of all the verbs:

Leggete!	Read!
Seguite la lezione.	Follow the lesson.
Pulite!	Clean!
Mangiate!	Eat!
Ascoltate l'insegnante.	Listen to the teacher.
Girate a destra.	Turn right.

To tell someone not to do something, see section 7.2.

Q Trasforma le frasi all'imperativo
Esempio *Mangi la frutta?*   ***Mangia** la frutta!*

a Giochi con tuo fratello?

b Ascolti la musica?

c Giri a sinistra?

d Studi matematica?

e Parli con gli amici?

f Verifichi le risposte?

6.7 The impersonal si

In English you can use *they, one, we* or *you* when you want to say something in an impersonal way:

They speak German in Bolzano.

One does not eat spaghetti with one's hands.

In Italy **we** drink lots of mineral water.

You can see the mountains from here.

In Italian you use the word *si* followed by the verb. You use the verb in the *lui/lei* form if the noun that follows it is singular. If the noun that follows the verb is plural then you use the *loro* form of the verb:

***Si parla** tedesco a Bolzano.*

*Non **si mangiano** gli spaghetti con le mani.*

*In Italia **si beve** molta acqua minerale.*

***Si vedono** le montagne da qui.*

6.8 Verb + infinitive

Sometimes there are two verbs next to each other in a sentence:

I **prefer going** by train.

I **want to go** to Italy.

In Italian, the form of the first verb depends on the subject, while the second verb is the infinitive:

***Preferisco andare** in treno.*	I prefer going by train.
***Voglio andare** in Italia.*	I want to go to Italy.

7 Negatives *negativi*

In English the negative form uses the word *not*. In Italian, use *non* in front of the verb.

Sono australiano.	I'm Australian.
***Non** sono italiano.*	I'm not Italian.
Ho tredici anni.	I'm thirteen.
***Non** ho dodici anni.*	I'm not twelve.

7.1 Any

In English you use *any* in a negative sentence. In Italian there is no word for *any* in a negative sentence:

Non voglio zucchero.	I don't want any sugar.
Non comprano libri.	They don't buy any books.

To say *some* and *any*, see section 1.3.

A Scrivi le frasi del signor Bastian Contrario.
Esempio Sono felice. Non sono felice.

a Hai una bicicletta.

b Compra delle riviste.

c Mangiamo la carne.

d Siete inglesi.

e Voglio parlare con il professore.

7.2 The imperative

To tell a friend or relative not to do something, use *non* followed by the infinitive:

Parla più forte!	Speak louder!
Non parlare più forte!	Don't speak louder!
Dormi!	Sleep!
Non dormire!	Don't sleep!
Bevi il bicchiere di latte!	Drink the glass of milk!
Non bere il bicchiere di latte!	Don't drink the glass of milk!

To tell more than one person not to do something use *non* followed by the *voi* form of the verb:

Parlate più forte!	Speak louder!
Non parlate più forte!	Don't speak louder!
Dormite!	Sleep!
Non dormite!	Don't sleep!
Bevete il bicchiere di latte!	Drink the glass of milk!
Non bevete il bicchiere di latte!	Don't drink the glass of milk!

B Leggi le frasi. Immagina le frasi del signor Bastian Contrario.

a Bevi il succo d'arancia.

b Andate al centro sportivo.

c Mangia dei panini.

d Incontrate gli amici al bar.

e Fate il primo paragrafo.

8 Asking questions *interrogativi*

- You can ask questions by making your voice go up at the end of the sentence:

Ti piace la cioccolata.	You like chocolate.
Ti piace la cioccolata?	Do you like chocolate?

- You can also use question words:

– come

Come ti chiami?	What's your name?
Come si dice "cat" in italiano?	How do you say 'cat' in Italian?

– dove

Dove abiti?	Where do you live?
Dov'è?	Where is it?

– quando

Quando è il tuo compleanno?	When is your birthday?
Quando vengono?	When are they coming?

– che cosa/cosa/che

Che dici?	What are you saying?
Che cosa vuoi?	What do you want?

– chi

Chi è?	Who is it?
Chi parla?	Who is speaking?

– quanto

Quanto costano le scarpe?	How much do the shoes cost?
Quanto vuole?	How much do you want?

– perché

Perché non dormi?	Why aren't you sleeping?

– quale/quali

Quale piatto vuoi?	Which plate do you want?
Quali libri sono di Joelle?	Which books are Joelle's?

Answers to grammar activities

1 Nouns

A

un	uno	una	un'
amico	zoo	nazione	arancia
ostello	scellino	casa	inchiesta
negozio		montagna	automobile
salame			

B

a una casa; **b** delle braccia; **c** un'auto; **d** dei bicchieri; **e** delle auto; **f** uno zaino; **g** un braccio; **h** un bicchiere; **i** delle calcolatrici; **l** delle case; **m** degli zaini; **n** una calcolatrice

C

L'antipasto: **le** mozzarelle, **le** olive, **i** pomodori secchi, **il** salame milanese (che piace a Elisa), **il** prosciutto crudo San Daniele
Il primo: **gli** spaghetti con **la** panna, **i** funghi, **il** parmigiano reggiano
Il secondo: **l'**arrosto di vitello, **l'**insalata, **le** patate
Il dolce: **la** torta al cioccolato, **il** gelato alla crema
Da bere: **l'**acqua minerale, **il** vino rosso, **lo** spumante italiano, **lo** zucchero, **il** caffè

D

Nel carrello ho del pollo, degli spaghetti, dei pomodori, dello zucchero, dell'olio, delle mele, dell'acqua minerale, delle arance e della pizza.

2 Adjectives

A

a piccolo; **b** simpatica; **c** brave; **d** allegri; **e** fredda; **f** generoso; **g** stanchi; **h** rosse

B

a I film sono interessanti. **b** Le maglie sono viola. **c** Le studentesse sono felici. **d** Questi messaggi sono importanti. **e** I quaderni sono blu. **f** Le mie amiche sono intelligenti. **g** Le agende sono rosa.

C

a un fratello ideale; **b** una sorella intelligente; **c** un appartamento moderno; **d** Anne ha dei cugini italiani. **e** Mi piace la mia giacca arancione. **f** Ha delle amiche simpatiche.

3 Possessive adjectives

A

a La tua casa è grande. **b** I suoi genitori sono pazienti. **c** Mia sorella si chiama Paula. **d** Lui ha il suo libro. **e** Lei ha il suo libro. **f** Le tue scarpe sono italiane. **g** Tuo cugino Frank è inglese. **h** Il mio zaino è rosso.

4 Prepositions

A

1 Andrea va al negozio. **2** Patrizia va agli uffici postali. **3** Giulio va ai Musei Vaticani. **4** Antonio va alla farmacia. **5** Federico va all'albergo. **6** Annamaria va alle scuole medie. **7** La signora Cerami va allo zoo. **8** Il signor Bertini va all'università.

B

a in, in; **b** nella; **c** nello; **d** nell'; **e** in; **f** in, in; **g** nel; **h** nell'

C

1 Anna esce dalla farmacia. **2** Anna esce dalla stazione. **3** Anna esce dall'ospedale. **4** Anna esce dallo stadio. **5** Anna esce dall'università. **6** Anna esce dalla parrucchiera. **7** Anna esce dal ristorante. **8** Anna esce dall'aeroporto. **9** Anna esce dal bar.

D

1 Il gatto è **sul** letto. **2** L'elefante è **sull'**armadio. **3** Il topo è **sullo** scaffale. **4** Il coniglio è **sulla** televisione. **5** L'uccello è **sulla** scrivania. **6** Il serpente è **sul** cassettone. **7** Il cane è **sulla** sedia.

E

a un bicchiere di vino; **b** due pezzi di pizza; **c** Sono di Manchester. **d** le penne di Susanna; **e** Di dove sono? **f** le scarpe da tennis di Stefano;

5 Pronouns

A

noi, io, tu, loro, lui, voi, lei

B

a gli; **b** vi; **c** ti; **d** mi; **e** Le; **f** le; **g** ci; **h** loro

6 Verbs

A

a eat; **b** play; **c** send

B

dormire, parlare, leggere, uscire, avere, ballare, essere

C

you, my dog, my dad and I, he, the clock, I

D

a Lei mangia la pasta. **b** Luca e Piero mangiano molto. **c** Mangi alla mensa. **d** Mangiate della frutta. **e** La mattina mangio del pane. **f** Noi mangiamo poco.

E

mangia, mangiano, mangi, mangiate, mangio, mangiamo

F

a ascolti, ascolto; **b** abita, abitano; **c** giocate, giochiamo; **d** insegna, insegno

G

a chiede, chiedo; **b** prendono, scrivono, leggono, scrivono; **c** piangete, cadiamo, perdiamo; **d** vivi, vivo, vive

H

a dormite, dormiamo; **b** parto, parte; **c** apri, soffro; **d** seguono, seguono

I

a dimagrisci, dimagrisco; **b** ubbidisce, ubbidiscono; **c** finite, finiamo; **d** capisco, preferisce, pulisce

L

a ha, ho; **b** hanno, ha, ha; **c** è, è, ha; **d** sono, hanno; **e** siete, siamo, siamo

M

a vai, sto, vanno; **b** faccio, fai, faccio, vanno; **c** andiamo, fate, stiamo, facciamo; **d** fa, fa, va

N

a devi; **b** beve; **c** può; **d** viene; **e** dite; **f** danno; **g** escono; **h** vogliono

O

a piace; **b** piace; **c** piacciono; **d** piacciono; **e** piacciono; **f** piace; **g** piace

P

a I like ice-cream. **b** Joelle likes fruit. **c** You like spaghetti. **d** He or They like soccer matches. **e** She likes red clothes. **f** The children like Italian cooking. **g** You like Paolo's friend.

Q

a Gioca con tuo fratello! **b** Ascolta la musica! **c** Gira a sinistra! **d** Studia matematica! **e** Parla con gli amici! **f** Verifica le risposte!

7 Negatives

A

a Non hai una bicicletta. **b** Non compra riviste. **c** Non mangiamo la carne. **d** Non siete inglesi. **e** Non voglio parlare con il professore.

B

a Non bere il succo d'arancia. **b** Non andate al centro sportivo. **c** Non mangiare panini. **d** Non incontrate gli amici al bar. **e** Non fate il primo paragrafo. **f** Non prendere la prima a sinistra.

Espressioni utili

Greetings *i saluti*

Hello	*Buongiorno*
	Salve
	Ciao (to a friend)
Hello (after about 4.00 pm)	*Buonasera*
Good night (when going to bed)	*Buonanotte*
Goodbye	*Arrivederci*
	Ciao (to a friend)

Italians tend to use *signore/signora* in greetings (to a shopkeeper, for example):

Buongiorno, signore.
Buongiorno, signora.

Days *i giorni della settimana*

Monday	*lunedì*
Tuesday	*martedì*
Wednesday	*mercoledì*
Thursday	*giovedì*
Friday	*venerdì*
Saturday	*sabato*
Sunday	*domenica*

Months *i mesi dell'anno*

January	*gennaio*
February	*febbraio*
March	*marzo*
April	*aprile*
May	*maggio*
June	*giugno*
July	*luglio*
August	*agosto*
September	*settembre*
October	*ottobre*
November	*novembre*
December	*dicembre*

Quantities *le quantità*

See page 141 of grammar section for how to say some and any.

	noun + *di*
a bottle of (Coke)	*una bottiglia di (Coca)*
a can of (orange drink)	*una lattina di (aranciata)*
a litre of (mineral water)	*un litro di (acqua minerale)*
a glass of (milk)	*un bicchiere di (latte)*
a packet of (biscuits)	*un pacchetto di (biscotti)*
a tin of (tuna)	*una scatoletta di (tonno)*
a kilo of (tomatoes)	*un chilo di (pomodori)*
100g of (ham)	*cento grammi/un etto (di prosciutto)*
a piece of (pizza)	*un pezzo di (pizza)*
a slice of (salami)	*una fetta di (salame)*

Countries *i paesi*

Australia	*l'Australia*
Austria	*l'Austria*
Canada	*il Canada*
China	*la Cina*
England	*l'Inghilterra*
France	*la Francia*
Germany	*la Germania*
Great Britain	*la Gran Bretagna*
Greece	*la Grecia*
India	*l'India*
Ireland	*l'Irlanda*
Italy	*l'Italia*
Japan	*il Giappone*
Malaysia	*la Malesia*
the Netherlands	*i Paesi Bassi*
New Zealand	*la Nuova Zelanda*
Pakistan	*il Pakistan*
Scotland	*la Scozia*
Slovenia	*la Slovenia*
Switzerland	*la Svizzera*
the United States	*gli Stati Uniti*
Vietnam	*il Vietnam*
Wales	*il Galles*
West Indies	*le Antille*

The time   *l'ora*

What time is it?	*Che ora è?/Che ore sono?*
It's one o'clock.	*È l'una.*
It's ten o'clock.	*Sono le dieci.*

l'una

le due meno cinque — l'una e cinque

le due meno dieci — l'una e dieci

le due meno quindici/le due meno in quarto — l'una e quindici/l'una e un quarto

le due meno venti — l'una e venti

le due meno venticinque — l'una e venticinque

l'una e trenta/l'una e mezza

È mezzogiorno.

È mezzanotte.

Numbers   *i numeri*

1	*uno*	22	*ventidue*
2	*due*	23	*ventitré*
3	*tre*	24	*ventiquattro*
4	*quattro*	25	*venticinque*
5	*cinque*	26	*ventisei*
6	*sei*	27	*ventisette*
7	*sette*	28	*ventotto*
8	*otto*	29	*ventinove*
9	*nove*	30	*trenta*
10	*dieci*	31	*trentuno*
11	*undici*	32	*trentadue*
12	*dodici*	33	*trentatré . . .*
13	*tredici*	40	*quaranta*
14	*quattordici*	50	*cinquanta*
15	*quindici*	60	*sessanta*
16	*sedici*	70	*settanta*
17	*diciassette*	80	*ottanta*
18	*diciotto*	90	*novanta*
19	*diciannove*	100	*cento*
20	*venti*		
21	*ventuno*		

Il glossario

Important! This is a glossary and not a dictionary: it only explains the way the Italian words are used in this book and not all the different meanings these words can have. If you look up *piano*, for example, the translation says *floor*, but piano can also mean *level*, *straightforward*, *careful* and so on. So be careful and always use a good bilingual dictionary.

A

	a	at; in; to
	a.C. *(avanti Cristo)*	B.C. *(before Christ)*
	abbastanza	quite; enough
	abbiamo	we have
l'	abbreviazione	*abbreviation*
	abita	he/she/it lives
	abitano	they live
l'	abitante	inhabitant
	abitare	to live
	abitate	you *(plural)* live
	abiti	you live
	abitiamo	we live
	abito	I live
	accanto a	near, next to
l'	accento	accent
	accetta	he/she/it accepts
	accettano	they accept
	accettare	to accept
	acchiappo	I catch, I grab
l'	acqua	water
	acquista	he/she buys
	ad	see *a*
	adatta	he/she/it adapts
	adattate	you *(plural)* adapt
	adatto(a)	suitable
l'	addetto	employee
	addormentato(a)	sleeping
	adesso	now
	adora	he/she/it adores
	adoro	I adore
l'	aereo	aeroplane
l'	aerobica	aerobics
l'	aeroporto	airport
	affettuosamente	affectionately
l'	agenda	diary
l'	agenzia	agency
l'	aggettivo	adjective
	aggressivo(a)	aggressive
	agli	a + gli
l'	aglio	garlic
l'	agnello	lamb
l'	ago	needle
	agosto	August
	ai	a + i
	aiuta	he/she/it helps

l'	aiuto	help
	al	a + il
l'	ala	wing
	albanese	Albanian
l'	albergo	hotel
l'	albero	tree
	alcuno(a)	some, a few
l'	alfabeto	alphabet
l'	alimento	food
	all'	a + l'
	alla	a + la
	allarga	he/she/it opens
	alle	a + le
	allegro(a)	happy
	allo	a + lo
	allora	then; well then
	almeno	at least
	alto(a)	tall, high
	altro(a)	other; another; more
	alza	he/she/it lifts
	ama	he/she/it loves
	amano	they love
	amare	to love
	americano(a)	American
l'	amica	friend *(girl)*
l'	amico	friend *(boy)*
	amo	I love
	anche	also, too
	ancora	still; again; some more
	andare	to go
	andate	you *(plural)* go
	andiamo	we go
l'	animale	animal
	animato(a)	animated
l'	anno	year
	annota	he/she/it notes down
	annuo(a)	annual
l'	annuncio	announcement
in	anticipo	advance
	antico(a)	antique, old
Le	Antille	the West Indies
all'	aperto	outdoor
	apparentemente	apparently
l'	appartamento	flat
l'	appetito	appetite
l'	appuntamento	appointment

l'	appunto	note
	apri	you open
	aprile	April
	aprire	to open
l'	arancia	orange *(fruit)*
l'	aranciata	orange drink
	arancione	orange *(colour)*
l'	arco	bow
l'	argomento	topic
l'	arma	force, service
l'	armadio	wardrobe
	arriva	he/she/it arrives
	arrivano	they arrive
	arrivare	to arrive
	arrivederci	goodbye *(formal)*
gli	arrivi	arrivals *(at an airport)*
	arriviamo	we arrive
l'	arrivo	arrival
l'	arrosto	roast
l'	arte	art
l'	articolo	article
	artificiale	artificial
l'	artista	artist
	ascolta	he/she/it listens
	ascoltano	they listen
	ascoltare	to listen
	ascoltate	you *(plural)* listens
	ascolti	you listen
	ascoltiamo	we listen
	ascolto	I listen
	aspettate	you *(plural)* wait
l'	aspetto	appearance
	aspetto	I wait
l'	aspirina	aspirin
	assieme	together
l'	astuccio	(pencil) case
l'	atletica	athletics
	attacca	he/she/it attaches
	attaccali	attach them
	attenti!	careful!
	attenzione!	look out!
l'	attività	activity
l'	attore	actor
l'	attrice	actress

l'	attualità	current affairs
l'	aula	classroom
	australiano(a)	Australian
	austriaco(a)	Austrian
l'	auto	car
l'	autobus	bus
l'	automobile	car
l'	autunno	Autumn
	avanza	he/she/it advances
	avere	to have
	avete	you *(plural)* have
l'	avventura	adventure
	azzurro(a)	blue

B

il	babbo	daddy, dad
	Babbo Natale	Father Christmas
il	bacio	kiss
i	baffi	whiskers
il	bagno	bathroom
	ballare	to dance
	ballo	I dance
il	ballo	dance
la	bambina	child
il	bambino	child
la	banca	bank
la	banconota	banknote
la	bandiera	flag
il	bar	bar, café
la	barca	boat
il	basket	basketball
	basso(a)	short
	beh	well . . .
	belga	Belgian
	bellissimo(a)	very beautiful; very good
	bello(a)	beautiful; very good
	ben	see *bene*
	bene	well
	benvenuto(a)	welcome
	bere	to drink
la	bevanda	drink
	beve	he/she/it drinks
	bevete	you *(plural)* drink

bevi	you drink	cambia	he/she/it changes	cattivo(a)	bad, naughty

bevi — you drink
beviamo — we drink
bevo — I drink
bevono — they drink
bianco(a) — white
Biancaneve — Snow White
la biblioteca — library
il bicchiere — glass
la bici — bike
la bicicletta — bicycle
il biglietto — ticket, card; greeting card
la biologia — biology
biondo(a) — blond/blonde
la birra — beer
il biscotto — biscuit
blu — blue
la bocca — mouth
le bocce — a game like bowls
boh! — don't ask me!
il bollettino meteo — weather bulletin
la borsa — bag
il bosco — woods
la bottega — shop
la bottiglia — bottle
le braccia — arms
il braccio — arm
il brano — piece of writing, passage
il Brasile — Brazil
bravo(a) — clever, good; well done!
brevemente — briefly
il bricolage — do-it-yourself
la brioche — sweet croissant
bruno(a) — brunette
brutto(a) — ugly
buffo(a) — funny
buon — good
buono(a) — good
buonanotte — goodnight
buonasera — good evening (formal)
buongiorno — good morning; good afternoon (formal)
il burro — butter

C

cadere — to fall
il caffè — coffee; coffee shop
il caffellatte — white coffee
il calcetto — table football/soccer
il calcio — football/soccer
la calcolatrice — calculator
caldo(a) — hot
calmo(a) — calm

cambia — he/she/it changes
cambiano — they change
cambiare — to change
cambiate — you (plural) change
la camera — room
la camicia — shirt
camminare — to walk
la campagna — country(side)
campestre — country
il campione — champion
la campionessa — champion
il campo — (playing) field
canadese — Canadian
il canale — canal
il cane — dog
canta — he/she/it sings
il/la cantante — singer
cantiamo — we sing
la cantina — basement, cellar
la canzone — song
i capelli — hair
capiamo — we understand
capire — to understand
capisce — he/she/it understands
capisci — you understand
capisco — I understand
capiscono — they understand
la capitale — capital
capite — you (plural) understand
il cappello — hat
la caramella — lolly, sweet
il carbone — coal
carino(a) — cute, nice
carissimo(a) — dearest
la carne — meat
il Carnevale — Carnival
caro(a) — dear
il carrello — trolley
la carta — paper; card
la cartella — folder
la cartina — map
la cartolina — postcard
il cartone animato — cartoon
la casa — house
il camper — campervan
la casella — space, square
la cassa — cash register
la cassetta — drawer; cassette
il cassetto — drawer
il cassettone — chest of drawers
castano(a) — brunette
il castello — castle
il castigo — punishment
il catalogo — catalogue
la cattedrale — cathedral

cattivo(a) — bad, naughty
il cavallo — horse
i ceci — chickpeas
la cena — dinner
cenano — they have dinner
ceno — I have dinner
il cenone — feast
cento — one hundred
il centro — centre
il centro commerciale — shopping centre
la ceramica — ceramics
cerca — he/she/it looks for
cercano — they look for
cercate — you (plural) look for
cerchi — you look for
cerchiamo — we look for
cerco — I look for
il cereale — cereal
certo(a) — certain
il cestino — wastepaper basket
il cesto — basket
chattare — to chat on the Internet
che — which; what
chi — who
chiacchierare — to chat
si chiama — he/she/it is called (his/her/its name is)
si chiamano — they are called (their name is)
chiamare — to call
ti chiami — you are called (your name is)
mi chiamo — I am called (my name is)
la chiave — key
chiedere — to ask
chiedi — you ask
chiedo — I ask
la chiesa — church
il chilo — kilo
la chitarra — guitar
chiude — he/she/it closes
chiudi — you close
chiudono — they close
chiuso(a) — closed
ci — (to) us; there
il cibo — food
il ciclismo — cycling
il/la ciclista — cyclist
il cielo — sky
la cifra — numeral
il cigno — swan
la Cina — China
cinese — Chinese

cinquanta — fifty
cinque — five
cinquecento — five hundred
la cioccolata — chocolate
il cioccolatino — chocolate (in pieces)
il cioccolato — chocolate
cioè — that is
circa — about
la città — city
la classe — class
classico(a) — classical; traditional
il clima — climate
la Coca — Coke
la colazione — breakfast
la colla — glue
collega — he/she/it connects
la collezione — collection
il collo — neck
la colomba — dove-shaped cake
la colonna — column
il colore — colour
il Colosseo — Coliseum
colpiscono — they hit
combattere — to fight against
come — how; as in; like
comincia — he/she/it starts
cominciano — they start
la commedia — play
il commesso — shop assistant
il comodino — bedside table
comodo(a) — comfortable; convenient
compagno(a) — partner, mate
il compito — homework, task
il compleanno — birthday
completa — he/she/it completes
componibile — fitted
il compositore — composer
compra — he/she/it buys
comprano — they buy
comprare — to buy
comprate — you (plural) buy
compriamo — we buy
compro — I buy
comune — common
con — with
il concerto — concert
condividere — to share
condividiamo — we share
il coniglio — rabbit
conosci — you know
conosco — I know
la consegna — delivery
consiglia — he/she/it advises
il consiglio — (piece of) advice

	consiste	it consists
la	consonante	consonant
	consuma	he/she/it consumes
	consumano	they consume
	conta	he/she/it counts
	contare	to count
il	conte	count
	contento(a)	content
	continua	he/she/it continues
il	contorno	side dish
	contro	against
	controlla	he/she/it checks
la	conversazione	conversation
la	coperta	blanket
	copia	he/she/it copies
	copio	I copy
la	coppia	couple
	coprire	to cover
	coraggioso(a)	brave
il	cornetto	sweet croissant
il	coro	chorus
il	corpo	body
	corregge	he/she/it corrects
	correggi	you correct
	corretto(a)	correct
la	correzione	correction
	corrisponde	he/she/it corresponds
	corrispondente	corresponding
il/la	corrispondente	correspondent
	corrispondere	to correspond
la	corsa	race
il	corso	course
	cortese	polite
	cortesemente	politely
il	cortile	courtyard
	corto(a)	short
la	cosa	thing
	così	like that, so
	costa	it costs
	costano	they cost
	costruire	to build, to construct
il	cotechino	type of sausage
	cotto(a)	cooked
	creare	to create
	create	you (plural) create
	creato(a)	created
	credere	to believe
la	crema	custard
il/la	criminale	criminal
	crudo(a)	raw
la	cucina	kitchen
	cucinare	to cook
la	cugina	cousin
il	cugino	cousin
la	cultura	culture
	culturale	cultural
il	cuoco	cook
il	cuore	heart
il	cuscino	pillow; cushion

D

	da	from; for; by; at
	dà	he/she/it gives
il	dado	dice
	dagli	da + gli
	dai	you give
	dai	da + i
	dal	da + il
	dall'	da + l'
	dalla	da + la
	dalle	da + le
	dallo	da + lo
	danese	Danish
	danno	they give
la	danza	dance
	dappertutto	everywhere
	dare	to give
la	data	date
	date	you (plural) give
i	dati	data, information
	davanti	in front
	decidere	to decide
	decidi	you decide
	decora	he/she/it decorates
	dedicato(a)	dedicated
	dedichi	you dedicate
	degli	di + gli
	dei	di + i
	del	di + il
	dell'	di + l'
	della	di + la
	delle	di + le
	dello	di + lo
il	dente	tooth
il/la	dentista	dentist
	dentro	inside
	descrive	he/she/it describes
	descrivere	to describe
	descrivi	you describe
la	descrizione	description
la	destinazione	destination
la	destra	right
	detesta	he/she/it detests
	detesto	I detest
	deve	he/she/it must/has to
	devi	you must/have to
	devo	I must/have to
	devono	they must/have to

	di	of; for; with
	di'	say (imperative)
il	dialogo	dialogue
	diamo	we give
il	diario	diary
	dice	he/she/it says
	dicembre	December
	dici	you say
	diciamo	we say
	diciannove	nineteen
	diciassette	seventeen
	diciotto	eighteen
	dico	I say
	dicono	they say
	dieci	ten
la	dieta	diet
	difendere	to defend
la	differenza	difference
	difficile	difficult
	diligente	diligent
	dimagrire	to lose weight
	dimagrisco	I lose weight
	dipinto(a)	painted
	dire	to say
la	direzione	direction
	diritto(a)	straight
la	discoteca	discotheque
	discutere	to discuss
	discuti	you discuss
	disegna	he/she/it draws
	disegnate	you (plural) draw
	disegnato(a)	designed
	disegni	you draw
il	disegno	drawing
	disordinato(a)	untidy
	distrutto(a)	destroyed
le	dita	fingers
	dite	you (plural) say
il	dito	finger
il	divano	sofa
	diventare	to become
	diverso(a)	different
	divertente	fun
ci	divertiamo	we have fun
mi	diverto	I have fun
	dividi	you divide
	diviso(a)	divided
il	dizionario	dictionary
	dobbiamo	we must/have to
il	documentario	documentary
	dodici	twelve
il	dolce	dessert
la	domanda	question
	domandare	to ask
	domani	tomorrow
la	domenica	Sunday
la	donna	woman
	dopo	after
	doppio(a)	double
	dorme	he/she/it sleeps
	dormi	you sleep

	dormiamo	we sleep
	dormire	to sleep
	dormite	you (plural) sleep
	dormo	I sleep
	dormono	they sleep
il	dottore	doctor
	dove	where
	dovere	must, to have to
	dovete	you must/have to
il	drago	dragon
	drammatico(a)	dramatic
	drammatizza	he/she/it performs
il	droghiere	grocer
	due	two
	duecento	two hundred
il	duomo	cathedral
	durante	during
	duro(a)	hard

E

	e	and
	è	he/she/it is
	eccellente	excellent
	ecco	here
	ed	see e
l'	edicola	newspaper kiosk
l'	educazione	education
	egiziano(a)	Egyptian
l'	elefante	elephant
	elementare	elementary
l'	elenco	list
	elettrico(a)	electric
	elettronico(a)	electronic
l'	emblema	emblem
	enorme	enormous
	entrano	they enter
l'	Epifania	Epiphany (6th January)
l'	equitazione	horse-riding
	equivalente	equivalent
l'	errore	error, mistake
	esce	he/she/it goes out
	esci	you go out
l'	esclamazione	exclamation
	esco	I go out
	escono	they go out
l'	esempio	example
l'	esercizio	exercise
	esiste	he/she/it exists
	esistono	they exist
l'	espressione	expression
	esprimere	to express
	essenziale	essential
	essere	to be
l'	estate	summer
all'	estero	abroad
	estivo(a)	summer

l'	estratto	extract
l'	età	age
l'	etto	hectogram, 100 grams
l'	Europa	Europe
	europeo(a)	European

F

	fa	he/she/it makes; he/she/it does
la	faccia	face
	facciamo	we make; we do
	faccio	I make; I do
	fai	you make; you do
	falso(a)	false
la	fame	hunger
la	famiglia	family
	famoso(a)	famous
	fanatico(a)	fanatical
	fanno	they make; they do
	fantasmino	little ghost
	fantastico(a)	fantastic
	far	see fare
	fare	to make; to do
la	farmacia	chemist's shop
il/la	farmacista	chemist
	fate	you make; you do
	faticoso(a)	tiring
il	fatturato	sales, turnover
il	favore	favour
	febbraio	February
la	febbre	fever
	femminile	feminine
	fermo(a)	steady
la	festa	party
la	fetta	slice
la	figlia	daughter
il	figlio	son
la	fine	end
	finiamo	we finish
	finire	to finish
	finisce	he/she/it finishes
	finisci	you finish
	finisco	I finish
	finiscono	they finish
	finite	you (plural) finish
	finito(a)	finished
	fino	until
il	fiore	flower
	Firenze	Florence
la	fisica	physics
	fisico(a)	physical
il	fiume	river
il	foglio	sheet
le	forbici	scissors
la	forma	form, shape
il	formaggio	cheese
	formare	to form
il	formato	format, size

	forte	great, terrific
la	fortuna	luck
la	foto	photo
la	fotografia	photograph
il	fotoromanzo	photo-story
	fra	between; among
la	fragola	strawberry
il	francese	French
la	Francia	France
il	francobollo	(postage) stamp
il	frappè	milkshake
la	frase	sentence
il	fratello	brother
	freddo(a)	cold
	frequenta	he/she/it attends
	frequentano	they attend
il	frigo	fridge
	fritto(a)	fried
di	fronte	opposite, facing
la	frutta	fruit
	fuma	he/she/it smokes
il	fumetto	comic
il	fungo	mushroom
	fuori	outside
i	fusilli	type of pasta

G

il	gabinetto	toilet
la	galleria	gallery, arcade
il	Galles	Wales
la	gamba	leg
il	gatto	cat
la	gelateria	ice-cream parlour
il	gelato	ice-cream
	generalmente	generally
	generoso(a)	generous
il	genitore	parent
	gennaio	January
	Genova	Genoa
la	gente	people
	gentile	kind, polite
la	geografia	geography
la	Germania	Germany
il	gesto	gesture
	getta	he/she/it throws
il	ghiaccio	ice
in	ghingheri	dolled up
il	ghiro	dormouse
la	giacca	jacket
	giallo(a)	yellow
il	Giappone	Japan
	giapponese	Japanese
il	giardinaggio	gardening
il	giardino	garden
la	ginnastica	gymnastics
le	ginocchia	knees

il	ginocchio	knee
	gioca	he/she/it plays
	giocano	they play
	giocare	to play
	giocate	you (plural) play
il	giocatore	player
	giochiamo	we play
il	gioco	game
il	giornale	newspaper
la	giornata	day (when talking about what you do during the day)
il	giorno	day
il/la	giovane	young person
	giovane	young
il	giovedì	Thursday
	gira	he/she/it turns
	girare	to turn
	girate	you (plural) turn
il	giro	turn (in a game); tour
	giro giro tondo	ring a ring o'roses
la	gita	trip
	giù	down
	giugno	July
	giusto(a)	correct
	gli	the
	gli	to him; to them
	globale	overall
la	gola	throat
il	gomito	elbow
la	gomma	rubber (eraser)
	gotico(a)	Gothic
la	grammatica	grammar
il	grammo	gram
	gran	see grande
la	Gran Bretagna	Great Britain
	grande	great, large
	grandissimo(a)	very great, very large
la	granita	water ice
	grasso(a)	fat
il	grattacielo	skyscraper
	grazie	thank you
la	Grecia	Greece
	greco(a)	Greek
	grigio(a)	grey
il	gruppo	group
	guadagnare	to earn
	guadagno	I earn
la	guancia	cheek
	guarda	he/she/it looks
	guardano	they look
	guardare	to look
	guardate	you (plural) look
	guardi	you look
	guardo	I look
la	guida	guide
	guidato(a)	guided
il	gusto	flavour; taste

H

	ha	he/she/it has
	hai	you have
	hanno	they have
	ho	I have

I

	ideale	ideal
	identifica	he/she/it identifies
l'	identità	identity
l'	Idroscalo	artificial lake near Milan
	il	the
	illustrato(a)	illustrated
	imita	he/she/it imitates
	immagina	he/she/it imagines
	immaginate	you (plural) imagine
l'	immagine	image, picture
	immagini	you imagine
	impara	he/she/it learns
	imparare	to learn
	imparo	I learn
	impazziscono	they are mad about something
l'	imperativo	imperative
	impersonale	impersonal
	importante	important
	in	in; to; at
l'	inchiesta	inquiry
l'	inchiostro	ink
l'	incidente	accident
	includere	to include
	incolla	he/she/it glues
	incontrano	they meet
	incontrare	to meet
	incontrarsi	to meet with
	incontrate	you (plural) meet
	incontriamo	we meet
	incontro	I meet
l'	indagine	survey
	indiano(a)	Indian
	indica	he/she/it indicates
	indicano	they indicate
	indicare	to indicate
le	indicazioni	directions
l'	indice del contenuto	contents
	indietro	back
	indipendente	independent
l'	indirizzo	address
	indovina	he/she/it guesses
	indovinare	to guess
l'	indumento	article of clothing

	Italian	English
l'	industria	industry
l'	infanzia	childhood
	infatti	indeed
l'	infinito	infinitive
l'	informatica	information technology
	informato(a)	informed
l'	informazione	information
l'	Inghilterra	England
	inglese	English
l'	inglese	English (language)
l'	ingresso	entrance
	inizia	he/she/it begins
l'	inno nazionale	national anthem
l'	insegnante	teacher
	insegno	I teach
	inserisci	you insert
l'	inserzione	advertisement
	insieme	together
	intelligente	intelligent
	interessante	interesting
l'	intermezzo	interval
l'	interrogativo	interrogative
l'	intervista	interview
l'	intonazione	intonation
	intorno	around
	invariabile	invariable
	inventa	he/she/it makes up
	inventate	you (plural) make up
	inventiamo	we make
l'	invenzione	invention
l'	inverno	winter
	invia	he/she/it sends
	invita	he/she/it invites
	io	I
l'	Irlanda	Ireland
	irregolare	irregular
l'	isola	island
l'	istituto	institute
l'	istruzione	instruction, education
l'	Italia	Italy
l'	italiana	Italian (woman)
	italiano(a)	Italian
l'	italiano	Italian (man); Italian (language)
l'	itinerario	itinerary

K

	Italian	English
il	kiwi	kiwifruit

L

	l'	the
	la	the; it
	là	there
il	lago	lake
la	lampada	lamp
	lancia	he/she/it throws
	largo(a)	wide
	lascia	he/she/it leaves
il	latte	milk
la	lattina	can
	lavora	he/she/it works
	lavorare	to work
	lavori	you work
il	lavoro	job
	lavoro	I work
	le	the
	le	(to) her
	Le	(to) you (formal)
la	lega	league
la	legge	law
	legge	he/she/it reads
	leggere	to read
	leggi	you read
	leggiamo	we read
	leggo	I read
	leggono	they read
i	legumi	legumes
	lei	she; her
	Lei	you (formal)
la	lenticchia	lentil
	lento(a)	slow
la	lettera	letter
il	letto	bed
il	lettore Cd	CD player
la	lettura	reading; passage
la	lezione	lesson
	li	them
	lì	there
	libero(a)	free
la	libreria	bookshelf
il	libro	book
il	liceo	secondary school
la	limonata	lemonade
la	lingua	language
il	linguaggio	language
	linguistico(a)	linguistic
la	lira	unit of Italian money before the euro
	lirico(a)	(relating to) opera
	liscio(a)	straight
la	lista	list
il	litro	litre
	lo	the; it
i	locali	shop premises
	Londra	London
	loro	they; to them
la/le/il/i	loro	their
	luglio	July
	lui	he
il	lunedì	Monday
	lungo(a)	long
il	lupo	wolf

M

	Italian	English
	ma	but
la	macchina	car
la	macedonia	fruit salad
la	madre	mother
	maggio	May
	maggiore	bigger
la	maglia	jumper
il	mago	wizard
	magro(a)	thin
	mah!	well!
	mai	never
	mal	ache
	male	badly
la	Malesia	Malaysia
la	mamma	mummy, mum
	manda	he/she/it sends
	mangi	you eat
	mangia	he/she/it eats
	mangiamo	we eat
	mangiano	they eat
	mangiare	to eat
	mangiate	you (plural) eat
	mangio	I eat
le	mani	hands
il	manifesto	poster
la	mano	hand
la	mappa	map
la	maratona	marathon
il	mare	sea
la	marmellata	jam
	marrone	brown
il	martedì	Tuesday
	marzo	March
	maschile	masculine
la	matematica	mathematics
la	materia	(school) subject
la	matita	pencil
la	mattina	morning
	matto(a)	crazy
	me	me
il	meccanico	mechanic
la	medaglia	medal
	medio(a)	middle
	medioevale	medieval
	meglio	better
la	mela	apple
il	membro	member
la	memoria	memory
	memorizzare	to memorise
	meno	less
la	mensa	canteen
la	menta	mint
	mentre	while
il	menù	menu
il	mercato	market
il	mercoledì	Wednesday
la	merenda	snack
il	mese	month
la	messa	Mass
il	messaggio	message
la	metropolitana	underground railway
	mettete	you (plural) put
	metti	you put
	mettono	they put
la	mezzanotte	midnight
i	mezzi	means (money)
	mezzo(a)	half
il	mezzogiorno	noon
	mi	(to) me
la	mia	my
il	microfono	microphone
le	mie	my
i	miei	my
	migliorare	to improve
	migliore	best
	-mila	thousand (e.g. diecimila – see mille)
	milanese	Milanese
il/la	milanese	person from Milan
	Milano	Milan
il	miliardo	billion
il	milione	million
	militare	military
	mille	thousand
	minerale	mineral
il	minuto	minute
il	mio	my
	misterioso(a)	mysterious
il	mobile	piece of furniture
la	moda	fashion
la	modella	model
il	modello	model
	moderno(a)	modern
il	modo	way
il	modulo	form
	molto	very
	molto(a)	much, a lot
	mondiale	world
il	mondo	world
la	moneta	coin
la	montagna	mountain
il	monumento	monument; historic building
	mostra	he/she/it shows
il	mostro	monster
il	motore di ricerca	(Internet) search engine
	murale	wall
il	museo	museum
la	musica	music
la	musica leggera	pop music

N

	Italian	English
	Napoli	Naples
il	naso	nose

il	Natale	Christmas
	natalizio(a)	Christmas
	nato(a)	born
la	natura	nature
	nautico(a)	water
la	nave	ship
	naviga	he/she/it surfs (the Internet)
	navigare	to surf (the Internet)
il	naviglio	canal
	navigo	I surf (the Internet)
	nazionale	national
la	nazione	nation
	ne	of it/of them; about it/about them
	né	nor
la	nebbia	fog
	necessario(a)	necessary
	negativo(a)	negative
	negli	in + gli
il	negozio	shop
	nei	in + i
	nel	in + il
	nell'	in + l'
	nella	in + la
	nelle	in + le
	nello	in + lo
	nero(a)	black
	nessuno(a)	none
	nevica	it is snowing
	niente	no, nothing
	noi	we, us
	noioso(a)	boring
il	nome	name
	nominare	to name
	non	not
la	nonna	grandmother
il	nonno	grandfather
	nord	north
i	nostri	our
la	nota	note
la	notte	night
	novanta	ninety
	nove	nine
	novembre	November
la	Nuova Zelanda	New Zealand
	nulla	nothing
	numera	he/she/it numbers
il	numero	number
il	nuoto	swimming
	nuovo(a)	new
la	nuvoletta	speech balloon
	nuvoloso(a)	cloudy

	o	or
l'	occhio	eye
	odio	I hate
l'	offerta	offer
	offrire	to offer
l'	oggetto	object
	oggi	today
	ogni	each
le	Olimpiadi	Olympics
l'	olio	oil
l'	oliva	olive
	oltre	more than
l'	operazione	operation
l'	opinione	opinion
	oppure	or
l'	opuscolo	pamphlet
l'	ora	hour; time; now
l'	orario	timetable
	ordinato(a)	neat
l'	ordine	order
le	orecchie	ears
	organizza	he/she/it organises
l'	origine	origin
l'	oro	gold
l'	orologio	clock; watch
l'	orrore	horror
	ospita	he/she/it accommodates
	osserva	he/she/it looks at
	osservare	to look at
	osservo	I look at
l'	ostello	hostel
	ottanta	eighty
	ottimo(a)	excellent
l'	ottimista	optimist
	otto	eight
	ottobre	October

il	pacchetto	packet
il	padre	father
il	paese	town; country
la	paga	pay
la	pagina	page
il	palazzo	building; palace
la	palestra	gymnasium
il	Palio	horse race in Siena
la	pallacanestro	basketball
la	pallavolo	volleyball
il	pallone	football
la	pancia	stomach
il	pandoro	Christmas cake
il	pane	bread
il	panettone	Christmas cake
il	panino	roll
il	papà	dad, daddy
il	pappagallo	parrot

le	pappardelle	type of pasta
	paragona	he/she/it compares
il	paragrafo	paragraph
il	parco	park
il/la	parente	relative, relation
	parla	he/she/it speaks
	parlano	they speak
	parlare	to speak
	parlate	you (plural) speak
	parli	you speak
	parlo	I speak
il	parmigiano	Parmesan cheese
la	parola	word
la	parrucca	wig
la	parrucchiera	hairdresser
la	parte	part
	partecipa	he/she/it takes part
	partecipi	you take part
	partire	to leave
la	partita	match, game
la	Pasqua	Easter
	passa	he/she/it passes
	passano	they pass
il	passaporto	passport
il	passatempo	hobby, pastime
la	passeggiata	walk, stroll
	passi	you spend (time)
	passiamo	we spend (time)
la	passione	passion
la	pasta	pasta; pastry
la	pasticceria	cake shop
il	pasto	meal
la	patata	potato
le	patatine	potato crisps
il	pattinaggio	ice skating
i	pattini	skates
	paziente	patient
	pazzo(a)	crazy
che	peccato!	what a pity!
il	pecorino	sheep's milk cheese
la	penna	pen
il	pennarello	felt-tipped pen
	pensa	he/she/it thinks
	pensare	to think
il	pepe	pepper
	per	for; in order to
	percento	percent
	perché	because; why
	perdere	to lose
	perdi	you lose
	perdiamo	we lose
il	periodo	period
	perso(a)	lost
la	persona	person
il	personaggio	character; figure
	personale	personal
la	personalità	personality

la	pesca	fishing
	pescare	to fish
il	pesce	fish
il	pezzo	piece
	piacciamo	we are pleasing
	piaccio	I am pleasing
	piacciono	they are pleasing
	piace	he/she/it is pleasing
per	piacere	please
	piacere	to be pleasing
	piacete	you (plural) are pleasing
	piaci	you are pleasing
	piangere	to cry
il	piano	floor
la	pianta	plant
il	pianterreno	ground floor
il	piatto	dish
la	piazza	town square, city square
	piccolo(a)	little
il	piede	foot
	pieno(a)	full
il/la	pilota	pilot
la	pinacoteca	art gallery
	piove	it is raining
la	piscina	swimming pool
la	pista da sci	ski run
	più	more; most
	piuttosto	rather than
la	pizzeria	pizza restaurant
il	plurale	plural
un	po'	a little
	poco	little; few
la	poesia	poem
il	poeta	poet
	poi	then
il	pollo	chicken
il	pomeriggio	afternoon
il	pomodoro	tomato
il	ponte	bridge
	popolare	popular
la	popolazione	population
	porta	he/she/it wears; takes
la	porta	door
	portano	they take
	portato(a)	brought
	portiamo	we take
il	portiere	goalkeeper
il	porto	port
	porto	I carry
il	Portogallo	Portugal
	positivo(a)	positive
	possiamo	we can
	posso	I can
	possono	they can
la	posta elettronica	e-mail

	postale	postal
il	posto	place
	potere	to be able to; can
	potete	you can
	povero(a)	poor
	pranza	he/she/it has lunch
il	pranzo	lunch
	praticare	to play (a sport)
	pratico(a)	practical
	preferiamo	we prefer
	preferire	to prefer
	preferisce	he/she/it prefers
	preferisci	you prefer
	preferisco	I prefer
	preferiscono	they prefer
	preferito(a)	favourite
il	premio	prize
	prende	he/she/it catches
	prendere	to catch
	prendete	you (plural) catch
	prendi	you take
	prendiamo	we take
	prendo	I take
	prendono	they take
	prepara	he/she/it prepares
	preparare	to prepare
	preparate	you (plural) prepare
	prepari	you prepare
	prepariamo	we prepare
la	preposizione	preposition
	prestigioso(a)	prestigious
il	prestito	loan
	presto	early; soon
il	prezzo	price
	prima	before
la	primavera	spring
	primo(a)	first
	principale	principal
il	problema	problem
il	prodotto	product
il	professore	teacher
la	professoressa	teacher
il	programma	program
il	pronome	pronoun
	pronto(a)	ready
la	pronuncia	pronunciation
	pronuncia	he/she/it pronounces
	pronunciare	to pronounce
	proporre	to suggest
	proprio	exactly; really
il	prosciutto	cured ham
	prossimo(a)	next

	proteggere	to protect
	prova	he/she/it tries
la	provenienza	origin
la	psicologia	psychology
la	pubblicità	advertisement
	pubblicitario(a)	advertising
il	pubblico	public
	pulire	to clean
	pulisce	he/she/it cleans
	pulito(a)	clean
il	punto	point
	può	he/she/it can
	puoi	you can
il	pupazzo	puppet
	purtroppo	unfortunately

Q

il	quaderno	exercise book
il	quadro	painting
	qual	see quale
	qualche	some
	qualcosa	something
	qualcuno	someone
	quale	which, what
	quali	see quale
la	qualità	quality
	quando	when
la	quantità	quantity
	quanto	how many; how much
	quaranta	forty
il	quartiere	district
il	quarto	quarter
	quasi	almost
	quattordici	fourteen
	quattro	four
	quei	those (ones) (see quello(a))
	quel	that (one) (see quello(a))
	quello(a)	that (one)
	quelli	those (ones) (see quello(a))
	questo(a)	this
la	questione	question
	qui	here
	quindi	therefore
	quindici	fifteen
il	quotidiano	daily (newspaper)

R

il	rabarbaro	rhubarb
	raccontare	to tell
il	racconto	story
	raffronta	he/she/it compares
la	ragazza	girl

la	ragazzina	little girl
il	ragazzo	boy
	raggiungere	to reach
il/la	rappresentante	(sales) representative
	raramente	rarely
	reale	royal
la	realtà	reality
	recente	recent
	regala	he/she/it gives
il	regalo	gift
la	regina	queen
	registra	he/she/it records
il	registratore	(tape) recorder
	regolarmente	regularly
la	regola	rule
la	religione	religion
	resta	he/she/it remains
il	restauro	restoration
	riccio(a)	curly
la	ricerca	research
	ricevono	they receive
la	richiesta	application
	ricorda	he/she/it remembers
	ricordare	to remember
	ricreativo(a)	recreational
il	rientro	return
	rifiuta	he/she/it refuses
	rifiutare	to refuse
la	riga	ruler
	rilassa	he/she/it relaxes
	risassante	relaxing
	rimane	he/she/it remains
	rimetti	you rearrange
il	Rinascimento	the Renaissance
	riordina	he/she/it changes the order
	ripassa	he/she/it reviews
il	ripasso	revision
	ripetere	to repeat
	ripeti	you repeat
	ripieno(a)	stuffed
la	risa	laughter
	risponde	he/she/it answers
	rispondere	to answer
	rispondi	you answer
la	risposta	answer
il	ristorante	restaurant
il	risultato	result
	ritaglia	he/she/it cuts (out)

il	ritmo	rhythm
	ritornare	to go back
il	ritratto	portrait
la	rivista	magazine
	Roma	Rome
	romantico(a)	romantic
il	romanzo	novel
il	rompicapo	brain-teaser
	rosa	pink
	rosso(a)	red
il	ruolo	role

S

	sa	he/she/it knows
il	sabato	Saturday
il	sacco	sack
un	sacco di	a heap of
la	saggistica	non-fiction
	sai	you know
la	sala	room
la	sala giochi	video game room
il	salame	salami
il	salone	exhibition
il	salotto	lounge room
	salutare	to greet
la	salute	health
il	saluto	greeting
	salve	hi!
	sano(a)	healthy
	sapere	to know
lo	scaffale	shelf
	scambia	he/she/it swaps
la	scarpa	shoe
la	scatola	box
la	scatoletta	tin
	scegli	you choose
	sceglie	he/she/it chooses
	scegliere	to choose
lo	scellino	shilling
	scelto(a)	chosen
	scemo(a)	silly
le	scemenze	silly things
la	scheda	card
lo	scherzo	joke
la	schiena	back
	schifoso(a)	revolting
lo	sci	skiing
	sciano	they ski
la	sciarpa	scarf
lo	sciatore	skier
la	sciatrice	skier
	sciattamente	carelessly
la	scienza	science
la	scimmia	monkey
lo	scioglilingua	tongue-twister
lo	scoiattolo	squirrel
	scolastico(a)	school
lo	sconto	discount

	scopri	you discover
la	Scozia	Scotland
la	scrivania	desk
	scrive	he/she/it writes
	scrivere	to write
	scrivete	you (plural) write
	scrivi	you write
	scriviamo	we write
	scrivimi	write to me (imperative)
	scrivo	I write
	scrivono	they write
la	scuderia	stable
la	scuola	school
	scuoti	you shake
	scusa	excuse me
	scusami	excuse me
	scusi	excuse me (formal)
	se	if
	secco(a)	dried
il	secolo	century
	secondo(a)	second
la	sedia	chair
	sedici	sixteen
	seduto(a)	seated
	segna	he/she/it marks
il	segreto	secret
	segue	he/she/it follows
	seguente	following
	segui	you follow
	seguire	to follow
	seguite	you (plural) follow
	seguo	I follow
	seguono	they follow
	sei	six; you are
la	sella	saddle
	semplice	simple
	semplicemente	simply
	sempre	always
si	sente	he/she/it feels
ti	senti	you feel
ci	sentiamo	we feel
	sentirsi	to feel
mi	sento	I feel
si	sentono	they feel
	senza	without
la	sera	evening
	serio(a)	serious; reliable
il	serpente	snake
	serve	he/she/it is of use
	servire	to serve; to be of use
il	servizio	service
	servono	they are of use
	sessanta	sixty
la	sete	thirst
	settanta	seventy

	sette	seven
	settembre	September
la	settimana	week
il	settimanale	weekly (magazine)
la	sfera	sphere
la	sfilata di moda	fashion show
lo	shopping	shopping (not including food)
	si	one; itself/himself/herself/oneself/themselves
	sì	yes
	siamo	we are
	siete	you are
il	significato	meaning
	signor	Mr (+ name)
la	signora	lady; Mrs (+ name)
il	signore	gentleman
la	signorina	young lady; Miss (+ name)
	simboleggia	he/she/it symbolises
il	simbolo	symbol
	simpatico(a)	nice, likeable
	singolare	singular
	singolo(a)	single
la	sinistra	left
il	sintomo	symptom
il	sito	site
	situato(a)	situated
	so	I know
il	socio	member
	soffrire	to suffer
	soffro	I suffer
il	soggiorno	living room
i	soldi	money
il	sole	sun
di	solito	usually
i	sollazzi	fun
	solo	only
il	sondaggio	survey
il	sonno	sleepiness
	sono	I am; there are
	sopra	on, over
	soprattutto	in particular
la	sorella	sister
il	sorriso	smile
	sotto	under
	sottolineato(a)	underlined
	spagnolo(a)	Spanish
lo	spagnolo	Spanish (language)
lo	spago	string

la	spalla	shoulder
	spassoso(a)	fun
lo	spazzolino da denti	toothbrush
la	specialità	speciality
	spende	he/she/it spends
la	spesa	(food) shopping
	spesso	often
la	spiaggia	beach
gli	spinaci	spinach
	splendido(a)	splendid
	sportivo(a)	sporting
la	squadra	team
lo	squalo	shark
	sta	he/she/it feels; he/she/it is
lo	stadio	stadium
la	stagione	season
	stai	you feel; you are
	stanco(a)	tired
	stanno	they feel; they are
la	stanza	room
	stare	to feel; to be
	stasera	this evening
	state	you (plural) feel; you are
gli	Stati Uniti	the United States
lo	stato	state
la	stazione	station
la	stella	star
	stesso(a)	same
	stiamo	we feel; we are
lo	stile	style
	sto	I feel; I am
la	storia	history
	storico(a)	historic
la	strada	road
	stradale	road
	strano(a)	strange
la	strega	witch
la	strofa	verse
lo	strumento	instrument
lo	studente	student
la	studentessa	student
	studi	you study
	studia	he/she/it studies
	studiare	to study
lo	studio	study
	su	on; out of
	su!	come on!
la	sua	her/his/its
	subito	straight away
	succede	it happens
il	succo	juice
le	sue	hers/his/its
il	suggerimento	suggestion
	sugli	su + gli
il	sugo	sauce
	sui	su + i
	sul	su + il

	sull'	su + l'
	sulla	su + la
	sulle	su + le
	sullo	su + lo
il	suo	hers/his/its
i	suoi	hers/his/its
	suonare	to play (a musical instrument)
il	suono	sound
	suono	I play (a musical instrument)
	superiore	upper
il	supermercato	supermarket
	superstizioso(a)	superstitious
	sveglio(a)	awake
la	Svizzera	Switzerland
	svizzero(a)	Swiss

T

la	tabella	table
il	tabellone	game board
	taglia	he/she/it cuts
	tagliato(a)	cut
	tanto(a)	so much
il	tappeto	rug
	tardi	late
	tardo(a)	late
la	tavola	table (where you eat)
la	tavoletta	bar (of chocolate)
il	tavolo	table (piece of furniture)
	te	you
il	tè	tea
	teatrale	theatrical
il	teatro	theatre
il	teatro lirico	opera house
	tecnico(a)	technical
	tedesco(a)	German
	telefona	he/she/it telephones
	telefonano	they telephone
	telefonare	to telephone
la	telefonata	telephone call
	telefoni	you telephone
il	telefono	telephone
	telefono	I telephone
il	telegiornale	television news
la	televisione	television
	televisivo(a)	television
il	tempo	time
il	temporale	(thunder)storm
	tenerti	to keep you
	tengono	they hold
il	tenore	tenor
il	territorio	territory
il	terrore	terror

	terzo(a)	third
il	tesseramento	distribution of membership cards
la	testa	head
il	testo	text
	ti	(to) you
	timido(a)	shy, timid
il	timore	fear
	tipico(a)	typical
	tipo	type
	tira vento	windy
il	tiro	shooting
	tocca	he/she/it touches
	tocca a me/te	my/your turn
	toccare	to touch
	toccate	you (plural) touch
la	tombola	bingo
il	tonno	tuna
il	topo	mouse
	torna	he/she/it comes back; he/she/it goes back
	tornare	to come back; to go back
	torni	you come back; you go back
	torno	I come back; I go back
la	torre	tower
la	torta	cake
	tostato(a)	toasted
	tra	between
	tradizionale	traditional
la	tradizione	tradition
	traduci	you translate
la	traduzione	translation
	tranquillo(a)	quiet, peaceful
	trasforma	he/she/it changes
la	trasmissione	broadcast
	trasparente	transparent
	tre	three
	tredici	thirteen
il	treno	train
	trenta	thirty
	troppo(a)	too much
	trova	he/she/it finds
	trovare	to find
	trovate	you (plural) find
	tu	you
la	tua	your
le	tue	your
il	tuo	your
i	tuoi	your
il/la	turista	tourist

	turistico(a)	tourist
la	tuta	tracksuit
	tutti	everyone
	tutto(a)	all

U

	ubbidire	to obey
	ubbidiscono	they obey
l'	uccellino	little bird
l'	uccello	bird
	uffa	oh!
l'	ufficio	office
	ultimo(a)	last
	un	a/an
	un'	a/an
	una	a/an
	undici	eleven
	ungherese	Hungarian
	unisci	you join
l'	università	university
	uno	one; a
gli	uomini	men
l'	uomo	man
le	uova	eggs
l'	uovo	egg
	usa	he/she/it uses
	usare	to use
	usate	you (plural) use
	usciamo	we go out
	uscire	to go out
	uscite	you (plural) go out
	usi	you use
	utile	useful
	utilizza	he/she/it uses
	utilizzare	to use, to utilise

V

	va	he/she/it goes
la	vacanza	holiday
	vado	I go
	vai	you go
	valido(a)	valid
	vanno	they go
	vario(a)	various
la	varietà	variety
	vecchio(a)	old
	vede	he/she/it sees
	vedere	to see
	vederla	to see her
	vediamo	we see
	vedono	they see
	veloce	fast
	vende	he/she/it sells
	vendiamo	we sell
	vendo	I sell
il	venerdì	Friday
	Venezia	Venice
	vengo	I come

	vengono	they come
	veniamo	we come
	venire	to come
	venite	you (plural) come
	venti	twenty
il	vento	wind
	veramente	really
il	verbo	verb
	verde	green
la	verdura	vegetable
la	Vergine	the Virgin Mary
la	verifica	check
	verifica	he/she/it checks
	verificare	to check
	verifichi	you check
	vero(a)	true, real
il	verso	verse
i	vestiti	clothes
	vi	(to) you (plural)
la	via	street
	via!	go!
	viaggia	he/she/it travels
	viaggiare	to travel
il	viaggio	trip, journey
la	vicina	neighbour
il	vicino	neighbour
	vicino(a)	near
il	videogioco	videogame
la	videoteca	video shop
	viene	he/she/it comes
	vieni	you come
la	vigilia	eve
la	villa	villa, house
la	villetta	(small) house
	vincere	to win
	vincete	you (plural) win
	vinci	you win
il	vino	wine
	vinto	won
la	visita	visit
	visita	he/she/it visits
	visitano	they visit
	visitare	to visit
	visitiamo	we visit
la	vista	view
la	vita	life
	vive	he/she/it lives
	vivere	to live
	vivete	you (plural) live
	vivi	you live
	viviamo	we live
	vivo	I live
	vivono	they live
la	vocale	vowel
la	voce	voice
la	voglia	desire, wish
	vogliamo	we want
	voglio	I want
	vogliono	they want

	voi	you (plural)
	vola	he/she/it flies
	volere	to want
	volete	you (plural) want
il	volontariato	voluntary work
una	volta	once
	vorrei	I would like
	vorresti	you would like
la	vostra	your (plural)
le	vostre	your (plural)
i	vostri	your (plural)
il	vostro	your (plural)
	vuoi	you want
	vuole	he/she/it wants
	vuoto(a)	empty

W

il	week-end	weekend

Y

lo	yogurt	yoghurt

Z

lo	zabaione	egg yolk–based dessert
lo	zaino	backpack
la	zia	aunt
lo	zio	uncle
la	zona	area